トガリ山のぼうけん ③

月夜のキノコ

いわむら かずお

理論社

もくじ

こんやも、トガリィじいさんのへやにやってきたのは、三びきのトガリネズミの子どもたちだ。名前は、キッキにセッセにクック。近くに住《す》む、トガリィじいさんのまごたちだ。みんな、トガリィじいさんの話が大すき。

「よぉし、トガリ山のぼうけんの、つづきをはじめよう」

トガリィじいさんが、じょうきげんでいった。

「だいすき、トガリ山のぼうけん！」

キッキがさけんだ。

「やったぜ」

セッセが、パチッとゆびを鳴らした。

「杉《すぎ》の木を背《せ》おったカメの話！」

クックが目をかがやかせた。

「その話は、もうきいたろ」

セッセがいうと、

「じゃ、ひいひいひいひいばあさんカタツムリの話！」

クックが右手をつきあげた。

「それも、もうきいたじゃないか」

セッセが、口をとがらせて、クックをにらみつけた。

「じゃぁ……」

クックが、てんじょうを見あげて考えていると、

「つづきっていうのは、きのうきいた話の、その先の話っていったでしょ」

キッキが、まるでおかあさんみたいにいった。

「ふむ、クックは、同じ話をもう一《いち》度《ど》ききたいんだな。クックが気にいったところは、またこんどきかせてあげるからな。さて、ゆうべはどこまで話したかな」

トガリィじいさんは、にこにこしながら、三びきの顔を見まわした。

「白いカエルや、青いカエルや、赤いカエルが、カエレカエレって鳴いたんだ」

「そしたら、雷《かみなり》がヒョウをつれてやってきた」

「ヒキガエルが、にげろにげろっていった」

「それから、ブナの根《ね》もとのあなににげこんだんだよね」

　キッキとセッセが、かわるがわるいった。

「あなの中に、ヒキガエルがいたんだよ」

　クックもまけずにいった。

「そうそう、それからわしは、いつのまにかねむってしまった。目をさますと、もう、雷もヒョウもどこか遠くへ行ってしまって、森の中に光がさしこんでいた」

　トガリィじいさんの目が、雨のしずくのようにピカリと光った。

「わしとテントは、あなのそとにでると、はらごしらえをした。雨あが

りのミミズは、ピチピチしていてうまかった」

「ね、ね、ね、それで、ヒキガエルはどうしたの」

クックが、トガリィじいさんのひざをたたいた。

「それより、あいつはどうしたの」

キッキが、むねの前で両手《りょうて》をにぎりしめた。

「あいつって、ネコっていうんだぜ」

セッセが、目をキラキラさせた。

「ね、それからどうしたの。トガリ山のてっぺんはまだなの。はやく、はやく」

キッキが体をゆすると、

「はやく、はやく」

クックが、またトガリィじいさんのひざをたたいた。
「わかった、わかった。それじゃ、ゆうべのつづき、トガリ山のぼうけんの話をはじめるとしよう」
トガリィじいさんは、鼻《はな》をひくひくと動《うご》かして、めがねにちょっと手をやった。

1　テントウムシはひるの虫

たっぷりと水あびした森の木たちは、ゆうがたの光の中で、体中からしずくをポタポタおとしていた。さっき、あんなに大あばれした雷《かみなり》は、ヒョウをつれてどこかへ行ってしまった。耳をすましても、もう、あのおそろしい音はきこえない。

わしとテントは山道にもどった。

「さあ、トガリ山のてっぺんめざして、出発《しゅっぱつ》だ！」

わしが右手をあげると、

「もうすぐ、夜がくる」

テントが、わしの頭の上を飛《と》びながら、小声でいった。

「うん、夜がくるね。今夜は、きっと月夜だよ」

わしは歩きながら空を見あげた。みどりいろの木の葉《は》のあいだに、青くすんだ空が見えていた。

「トガリィ、トガリィは夜も歩くの？」

テントが、ふいに、わしの肩《かた》におりてきていった。

「もちろん、夜だって歩くさ。どうして」

わしがいうと、テントはちょっとだまって、

「ぼく、夜は飛ばない」

と、つぶやいた。

「どうしてさ。夜は飛べないってわけじゃないんだろ」

「夜だって飛べる、だけど飛ばない」

「トガリ山のてっぺんは遠いんだ。そんなことといってたら、いつまでたってもつかないよ」

わしがよこ目で見ると、

「夜はくらい、だから飛ばない」

テントが口をとがらせた。

「今夜は月夜だよ。きっと明るいよ」

「テントウムシは、夜は飛ばない」

テントはいきなり肩から飛び立とうとしてしっぱいし、道ばたのおち葉《ば》の上にころがった。

「テント、どうしたの」

わしはテントの顔をのぞきこんだ。

「ぼくはテントウムシだよ」

テントがそっぽをむいたままいった。

「そんなことわかってる。それがどうしたのさ」

わしが、ちょっとむきになっていうと、

「わかってない。テントウムシはひるの虫、夜は飛《と》ばない」

テントがきっぱりといった。

「ひるの虫?」

「テントウムシは太陽《たいよう》の虫、ひるの虫にきまってる」

「太陽の虫?」

「そうさ、テントウは太陽。テントウムシは太陽からうまれた太陽の虫」

テントがむねをはった。

なるほど、テントウは太陽のこと。たしかに赤いテントウムシは、まっかな太陽からうまれおちてきたような虫だ。わしがテントを見つめていると、そばのフキの葉《は》がゆれて、だれかの声がした。

「テントウムシは、ひるの虫。カブトムシは、夜の虫……」

フキの葉の下から、もっそり顔をだしたのは、ヒキガエルだった。ブナの根《ね》もとのあなの中にいたヒキガエルが、いつのまにかきていて、わしたちの話を立ちぎきしていたらしい。テントはあわてておち葉《ば》のうらにかくれた。

「ひるの虫は、夜ねむり、夜の虫は、ひるねむる……」

ヒキガエルは、ひくい声でつぶやきながら、ゆっくりと山道にでてきた。

「ヤマバト、キツツキ、ひるの鳥。ヨタカ、フクロウ、夜の鳥。ひるの鳥は、夜ねむり、夜の鳥は、ひるねむる」

ヒキガエルは、わしたちの方を

ふりむきもしないで、ひとりごとのようにつぶやきながら、ドテッ、ドテッと山道をよこぎっていく。

「そうか、テントウムシはひるの虫、か」

わしがいうと、テントが、

「夜ねるんだ、テントウムシは」

とうれしそうにいって、おち葉《ば》のうらから顔をのぞかせた。

「でも、トガリネズミは、ひるのネズミでも夜のネズミでもないよ。ひるもねるし夜もねるもん」

わしがいうと、

「ヒキガエルは、夜のカエル？ひるのカエル？」

テントが声をひそめていった。すると、ヒキガエルが山道のまん中で立ちどまった。テントは、またあわてておち葉のうらに顔をひっこめた。ヒキガエルはゆっくり両手《りょうて》をのばして体をおこすと、ギロッと目をあけてこっちを見た。それから、またゆっくり足を動《うご》かして、

「ひるになったら、
ひるのカエル。
夜になったら、夜のカエル。
青空をうつした川で
およぎたけりゃ、
ひるのカエル。
星をうかべた池で
およぎたけりゃ、
夜のカエル」
といいながら、ドテッ、
ドテッと歩いていった。
「ひるのカエルになろうとも、
夜のカエルになろうとも、
おれの自由《じゆう》。
ひるに、ひるの虫がいるかぎり。
夜に、夜の虫がいるかぎり」
ヒキガエルは山道をよこぎって、

おち葉《ば》をふみならし、フキの葉《は》の下にもぐりこんでいった。テントがそっと顔をだした。

「テントは、夜のあいだ、リュックのポケットでねてればいいよ」

わしが手をさしだすと、テントはうでづたいにわしの肩《かた》にのぼってきた。

「さあ、トガリ山のてっぺんめざして、でかけよう」

「うん、でかけよう、てっぺんめざして」

テントもきげんよくいった。

「ひるになったら、ひるのトガリネズミ。
夜になったら、夜のトガリネズミ。
ひるに、ひるのミミズがいるかぎり。
夜に、夜のミミズがいるかぎり」

わしがヒキガエルのまねをしていうと、

「テントウムシはひるの虫、
夜はねむるひるの虫」

テントがいった。

2　トガリ山のヤマバトでっぽ

「シジュウカラは、ひるの鳥だね」

わしが木の上を見あげながらいうと、

「夜ねるんだ、シジュウカラは」

テントがいった。

ゆうがたの光が、森にななめにさしこんで、雨にぬれたブナのみきが白く光っていた。シジュウカラのむれが、ジュジュジュと鳴きあいながら、えだからえだへ飛《と》びうつっていった。

山道はゆるやかにのぼっていった。山道の先の木の高いところで、ヤマバトが鳴いていた。

デデッポポォー
デデッポポォー
声はきこえるが、どこにいるのかすがたは見えない。のどのおくからしぼりだすような声で、なにかいっている。

「ヤマバトは、ひるの鳥だね」

わしがいうと、

「ヤマバト、なにいってる？　あれは、うた？へた？おまじない？」
わしの前を飛んでいたテントが、すこしもどってきていった。
デデッポボォー
デデッポボォー
デデッポ
ヤマバトは、ときどき休みながら、なにやらしきりにくりかえしている。
わしたちが、ちょうどトチの木の下をとおりかかったとき、ヤマバトがきゅうに鳴くのをやめた。頭の上で、パサッ、パサッ、と木の葉《は》が音をたてて、わしの目の前にトチの実《み》がおちてきた。
「あぶない！」
テントがさけんだ。わしはあわてて頭をかかえ、トチの木にはりついた。トチの実は二、三回大きくはずんで、道をよこぎっている太い根《ね》っこにぶつかってと

まった。あぶないところだった。

ほっとして、頭から手をはなすと、パサッ、パサッ、パサッ、と、またはげしく木の葉《は》が音をたてた。わしは、首をすくめながらおそるおそる見あげた。

「あっ、タカだ」

また、テントがさけんだ。わしは、体に力をいれて身《み》がまえた。空中で二羽《わ》の鳥があらそっていた。どうやら、さっきまで鳴いていたヤマバトが、タカにおそわれたようだ。

わしは、トチの根《ね》っこのかげにかくれた。テントはわしの肩《かた》の上におりてきた。トチの葉と葉のあいだをぬって

にげるヤマバトを、大きなタカがおいかけていく。ヤマバトが、きゅうにむきをかえ、こっちへむかっておりてきた。と思うと、わしたちの目の前で、ふいにまいあがった。

ヒュッ、ヒュッ、二羽のつばさが、頭の上でつづけざまに鳴って、小さなつむじ風がおこった。トチの木の根もとの、シダの葉がなみうった。

わしは、根っこのかげで体をまるめた。よこを見る

と、テントも、わしの肩《かた》にしがみついてまるくなっていた。

すこしたって、おそるおそる顔をあげると、ヤマバトが太いミズナラの木にむかって一直線に飛《と》んでいくのが見えた。タカも首を前につきだし、まけずにおいかけていく。

ヤマバトは、ミズナラのみきのむこうでとつぜん左にむきをかえ、ブナのえだとえだのあいだをくぐりぬけた。のんびりおまじないをしてい

た、あのヤマバトとは思えないすばやさだ。
二羽《わ》はかさなるようにして、森の中をめまぐるしく飛びまわった。
「ピィーッ、ヤマバト、あぶない」

テントがひめいをあげた。わしは根《ね》っこのかげからとびだし、二羽《わ》をおって山道を走った。

タカがするどいツメをのばし、ヤマバトの背中《せなか》につかみかかるのが見えた。思わず立ちどまると、バサッと大きな音をたてて、ヤマバトはブナの葉《は》のしげみの中につっこんだ。木の葉とヤマバトの羽《はね》がとびちった。

タカは、ブナの葉のしげみにおおいかぶさるようにしてとまり、あらい息《いき》をしながらあたりを見まわした。ヤマバトのすがたが見えない。タカもわしたちも、ヤマバトを見うしなってしまった。タカは、わしたちに見られているのに気がついたのか、きまりわるそうに首をかしげると、体をたてなおし、まいあがった。タカはヤマバトをあきらめ、森のてんじょうのすきまをぬけて、空へ飛《と》びさっていった。

「ヤマバト、どこいった」

テントが、しんぱいそうに、わしの頭の上にのぼってきていった。

「そのへんに、おちてないか」

わしは、山道をすこしはずれたブナの木の根《ね》もとにむかって走った。

ヤマバトは、ブナの木のそばの、背《せ》のひくいヤマカエデのえだにとまっていた。みきに体をもたれかかるようにして、あらい息をしていた。

「あぶなかったね。けがはない？」

わしはそっと声をかけた。

「けがはない？あぶなかった」

テントも頭の上でいった。ヤマバトはむねで息をしながら、だまってわしたちを見おろしていた。

そのとき、また、ヒュッ、ヒュッ、と羽の音がした。はっとして身《み》がまえると、まいおりてきたのは、もう一羽のヤマバトだった。

「あんた、ぶじでよかった！」

ヤマバトはヤマカエデのえだにとまると、うれしそうにいった。二羽はふうふのようだ。

「あたしはにげたけど、あんたがおいかけられたんで、どうなったかとしんぱいだったよ。あんた、けがはないかい」

メスのヤマバトは、首をのばして、オスの顔をのぞきこんだ。

「なんでもねえでっぽ」

オスのヤマバトは、ゼーゼー声でいった。

「だからさぁ、あんた、ボォのいうように、あたしたちもマチへ行こうよ」

メスのヤマバトが声を鼻《はな》にかけていうと、オスのヤマバトが、くちばしで、わしたちが木の下にいることをおしえた。

「あら、あんた、気がつかなかった」

メスのヤマバトがわしを見て、てれくさそうにいうと、

「あんたじゃなくて、あんたたちでっぽ」

と、オスのヤマバトがいった。

「あら、ほんと、ごめんなさい。テントウムシさんもいたのね。ねぇ、あんたたちもとうちゃんにいってやって。山をおりてマチへ行きなさいって。うちのボォ、ああ、あたしたちのむすこよ。とてもかしこいの。うちのボォがいうには、山をおりると、マチってとこがあるんだって。旅《たび》をしているハトにきいたんだってさ。マチってとこは、食べものはたくさんあるし、冬はさむくないし、それに、タカやワシやフクロウや、あたしたちをおそうやつなんか、あまりいないっていうの。うちのボォは、ひと足さきに山をおりて、そのマチってとこに行ったわ。あたしらも行こうっていってるのに、うちのひとったら、いくらいっても、うんっていわないんだから」

メスのヤマバトは、まるい目でオスのヤマバトをにらみつけた。

「タカはおれらをおそうのがしごと。そしたら、にげるのがおれらのしごとでっぽ」

オスのヤマバトは、体をふくらませ、えだの上にすわりこんだ。

「おれはマチなんてとこには行かねえよ。ヤマバトは山にいるからヤマバトでっぽ」

「ほら、これなんだから。あんたたち、どう思う。こんなきけんなところでくらすより、安心《あんしん》してくらせるマチってとこがいいと思うだろ。いってやっておくれよ」

メスのヤマバトが、羽《はね》を半分広げて、しきりにわしたちにたのんだ。

「ぼく、マチってとこしらないんだ」

わしがいうと、

「ぼくも、しらない」

テントもいった。

「おれは、とうちゃんやかあちゃんや、じいちゃんやばあちゃんや、みんながうまれてそだった、このトガリ山がすきでっぽ。おれは、死《し》ぬまでトガリ山でくらすでっぽ。マチはニンゲンがくらすとこでっぽ」

オスのヤマバトは、どこか遠くをじっと見つめて、ゆっくりといった。

「ニンゲンというのがいることぐらい、あたしだってしってるよ。だけど、ニンゲンっていうのは、タカみたいに空までおいかけてはこれないんだよ。ニンゲンはハトは食わないと、ボォはいってたよ。そうそう、ボォはこうもいってた。あんたみたいな考えは、もう古いってね。ヤマバトだって、時代《じだい》にあわせて生きていかなきゃ。マチにうつりすんだなかまは、ずいぶんいるってことだよ」

メスのヤマバトは、わしたちとオスのヤマバトをかわるがわる見ながらいった。

「ヤマバトがマチにすんだら、マチバトでっぽ」

オスのヤマバトはきすてるようにいうと、目をつむってしまった。

「いつもこうなんだからね。あんなおそろしい目にあっても、ちっとも考えがかわらない、がんこなひとだよ」

メスのヤマバトはあきらめたようにいうと、えだの上にすわりこんだ。

すると、ヤマカエデの根《ね》もとのシダの葉《は》がゆれて、だれかの声がした。

「山には山の鳥がすみ、
川には川の鳥がすむ」
シダの葉《は》の下から顔をだしたのは、さっきのヒキガエルだった。いつのまにかきていて、わしたちの話を立ちぎきしていたらしい。テントはあわててわしの背《せ》中《なか》にかくれた。
「海には海の鳥がすみ、
町には町の鳥がすむ」
ヒキガエルは、わしたちの方をふりむきもしないで、ひとりごとのようにつぶやきながら、ドテッ、ドテッと歩いて行く。
「山の鳥は山のものを食い、
川の鳥は川のものを食う。
海の鳥は海のものを食い、
町の鳥は町のものを食う」
メスのヤマバトはすわりこんだまま、まるい目をパチクリさせて、ヒキガエルのことばに耳をかたむけた。

「山の鳥は山のもの。
山のカエルは山のもの。
山の虫は山のもの。
山のけものは山のもの。
山の草木は山のもの。
山のキノコは山のもの」
ヒキガエルは、わしたちの前を
よこぎって、おち葉《ば》をふみならし、
シダの葉の下にもぐりこんでいった。
「山の水は山のもの。
山の空気は山のもの。
山の土は山のもの」
ゆれるシダの葉のむこうから、
声だけがきこえてきた。

「マチって、どんなところ？　食べものはたくさんあるし、タカやフクロウはいないってほんと？」

キッキが、トガリィじいさんの顔をのぞきこんだ。

「ニンゲンが、いるの？」

クックも、トガリィじいさんの顔をのぞきこんだ。

「わしも、町ってとこには、行ったことがない。旅《たび》のとちゅうの、ハトやツバメやカモたちから、きいた話なんだが、とにかく、人間が、おおぜいすんでいるところらしい」

「食べものがたくさんあるって、それ、ミミズのこと？」

クックがいうと、

「ハトが食べるんだから、木の実《み》なんかだよね」

セッセがいった。すると、

「ねぇ、人間って、なに食べるの」

また、キッキが、トガリィじいさんの顔をのぞきこんだ。

「人間というのは、鳥や魚やけものや、木の実も草の実も、いもやキノコまで、食べられるものはなんでも食べてしまうということだ」

「ふーん。じゃ、ぼくたちトガリネズミのことも食べる？」

クックが、トガリィじいさんの顔をしんぱいそうにのぞきこんだ。

「トガリネズミは山のもの、人間は町のものだから、食わないと思うな」

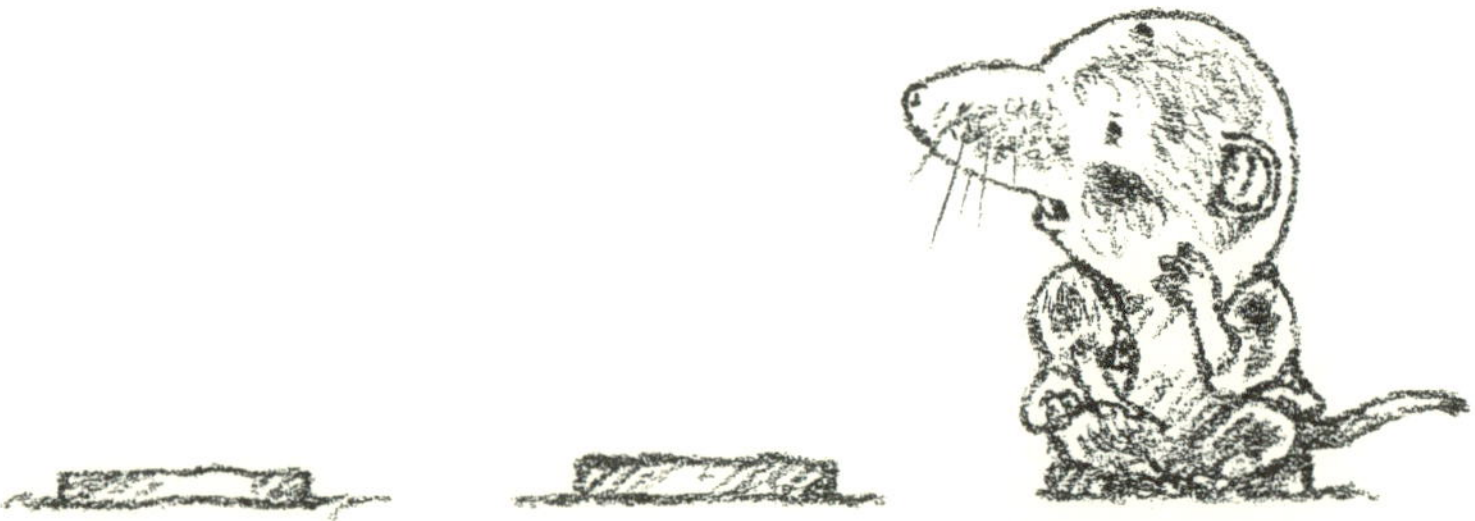

セッセもトガリィじいさんの顔をのぞきこんだ。

「ふむ。ヒキガエルはたしかにそういってたが、人間だけはべつらしい。山のものも川のものも、海のものも町のものも、なんでも食べてしまうのが人間だということだ」

トガリィじいさんはうでぐみをして、ちょっと顔をしかめて見せた。

「じゃ、やっぱり、トガリネズミのことも食べるんだ」

クックもうでぐみをして、顔をしかめた。

「でも、そうきまったわけじゃないよ。人間はハトは食べないっていってたでしょ」

キッキがいうと、セッセがふいに立ちあがり両手《りょうて》を広げて、ドテッ、ドテッと歩きだした。

「山のものはおれのもの。
川のものもおれのもの。
海のものもおれのもの。
町のものもおれのもの」

すると、クックもまねをして、セッセのうしろから、ドテッ、ドテッと歩きだした。

「山のけものもおれのもの。
山の草木もおれのもの。
山の水もおれのもの」

セッセがいうと、クックがつぶやいた。

「おれものものもおれのものもおれのもの」

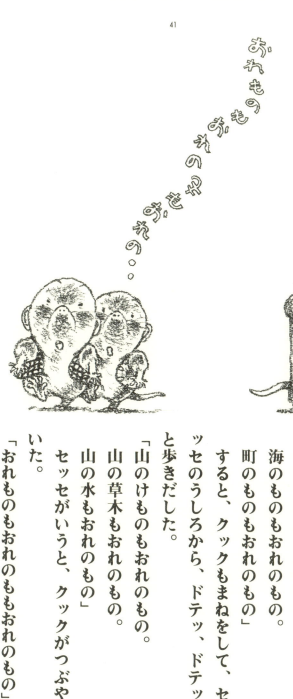

3　ひるカナ　夜カナ

ゆうがたの風が、木のしげみの中にこもっていた、ひるの空気をつれだして吹《ふ》いていった。

「ところで、トガリ山はどっちの方だろう。テント、明るいうちに見てきてくれないか」

森の中の山道は、ブナの根《ね》っこのあなをでてから、ずっと一本道だったから、まようことはないだろうが、いまのうちにたしかめておけば安心《あんしん》だと、わしは思った。

「うん、ぼく見てくるよ。てっぺんつくってて」

テントは、わしの鼻先《はなさき》にのぼってきた。

「えいっ！」

テントは、いつものように小さくさけんで、わしのてっぺんから飛《と》び立った。ゆうひをあびて赤みをおびた森のてんじょうの中に、テントのすがたは見えなくなった。

山道におちていた青いドングリにすわって、わしはテントのかえりをまった。

テントはすぐにもどってきた。

「見えた、見えた。むらさきいろのトガリ山が見えた」

テントは、わしの前のササの葉《は》におりてきた。

「むらさきいろのトガリ山？」

「うん、むらさきいろのトガリ山。ピンクの雲をかぶってた」

「どっちの方だった？」

「あっちの方」

テントは、これからのぼっていく山道の、すこし右の方をゆびさした。

「じゃ、この道でだいじょうぶだね」

「うん、だいじょうぶ、この道で」

テントは、ササの葉のてっぺんによじのぼって「えい！」と飛《と》んで、わしの頭の上におりた。それから声をひそめて、

「そこの木の上に、ヨタカがいる」

といった。

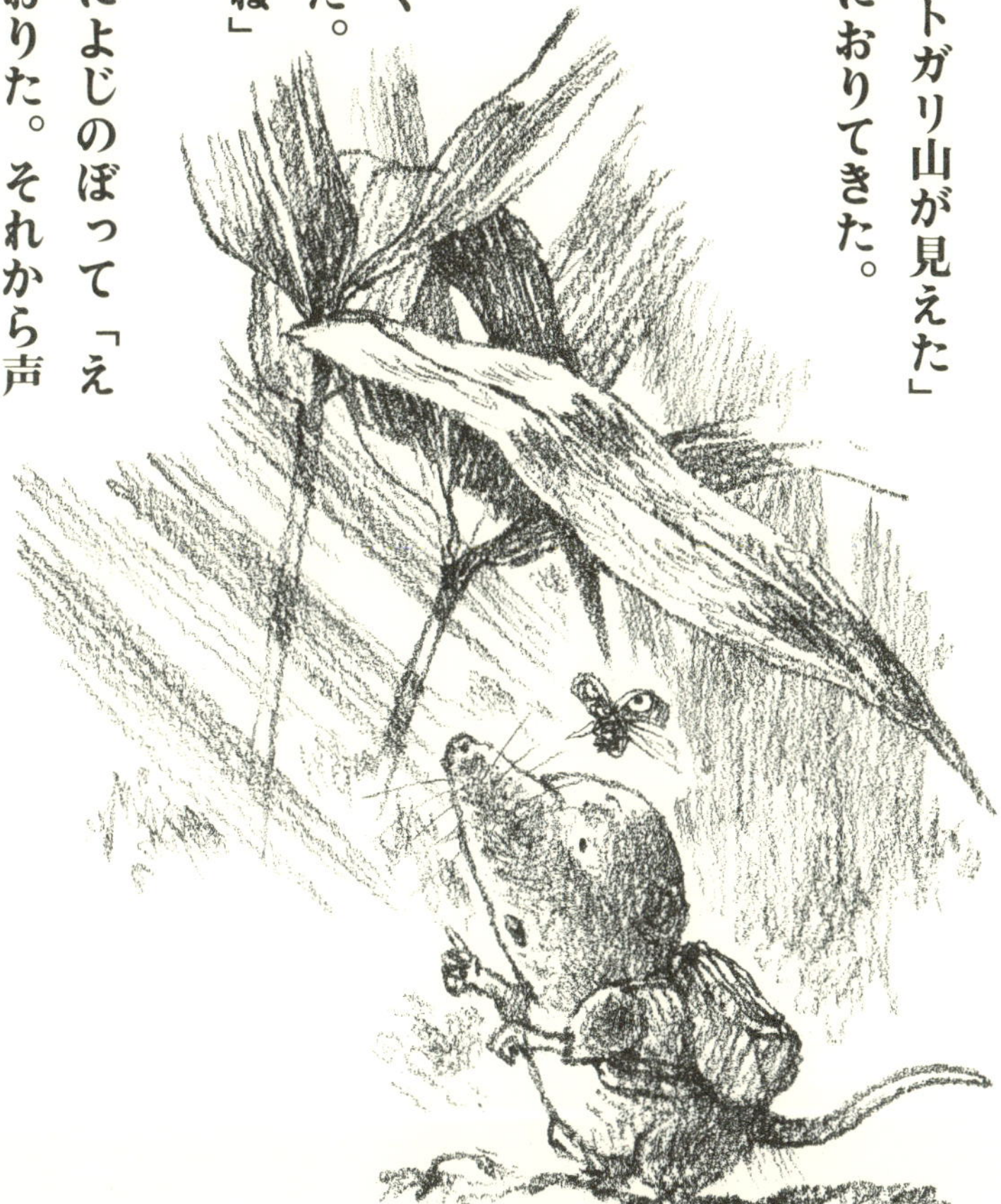

「どこ？どの木？」

「そこ、そこの木」

「この木？」

「その木」

わしは、わしたちのすぐ前のミズナラの木を見あげた。

「ほら、あそこのえだの上」

「どこ？」

「あそこ」

テントが、わしの鼻《はな》の上にのぼってきて、木の上をゆびさした。テントのゆびが近すぎるから、テントのゆびを見るとえだが見えない。

「どこどこ」

「あそこあそこ」

やっと、ミズナラの木のえだに、こぶのようなものがあるのが見えた。じっと動《うご》かないが、それがヨタカらしかった。

「ヨタカ、まだねている」

テントがささやいた。

「ヨタカは、夜の鳥だもんね」

わしも、ミズナラの木のえだの上を見あげたまま、ささやいた。森にさしこむ光がオレンジいろになって、ヨタカの背《せ》中《なか》にあたった。

「もうすぐおきるね、ヨタカ」

テントが、わしの頭の上にもどっていった。

わしは、ミズナラの根《ね》っこをのりこえ、山道をのぼっていった。山道のわきで、ササの葉《は》が一まいだけしきりにゆれていた。ゆれる葉のむこうで、オレンジいろの光が、まぶしくまばたきをしていた。

「テント、見てごらん。あそこでササの葉がゆれてるよ」

「あっ、ゆれてる、ササの葉」

テントはさけんで、それから、

「小さな風が、かくれてる」

と小声でいった。ゆうがたの風たちといっしょにやってきた小さな風が、ササの葉かげでちょっとひと休みしていたらしい。

カナカナカナ
カナカナカナ
カナカナカナ
十ぴきほどのヒグラシたちがやってきて、ツルアジサイがからみついた太いトチの木で鳴いた。すると、

少しはなれたヤマザクラの木でも、べつの十ぴきほど
のヒグラシが鳴いた。
カナカナカナ
カナカナカナ
わしの目の前のガマズミのひくいえだでも、一ぴき
のヒグラシが鳴いた。

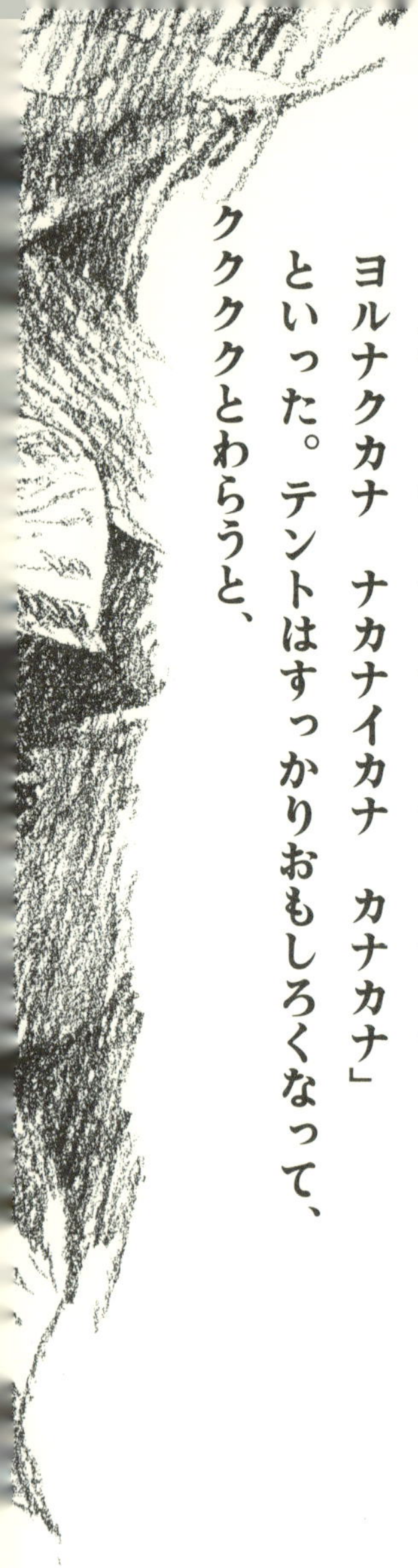

「ヒグラシは、ひるの虫、夜の虫？」

わしがきくと、ヒグラシは、

「ヒルカナ　ヨルカナ　カナカナカナカナ」

といった。すると、テントがククとわらって、

「夜の虫、ひるの虫？」

ときいた。ヒグラシはちょっと考えて、

「ヨルカナ　カナカナカナカナ
ヒルカナ　カナカナカナカナ」

といった。テントはまたククとわらって、

「ひるの虫、夜の虫？」

ときいた。ヒグラシはまた考えて、

「ヒルナクカナ　ナカナイカナ　カナカナカナ
ヨルナクカナ　ナカナイカナ　カナカナカナ」

といった。テントはすっかりおもしろくなって、
クククとわらうと、

「夜の虫カナ、ひるの虫カナ？」
とまたきいた。いつのまにか十ぴきほどのヒグラシたちが、ガマズミの木にあつまってきていた。
「ヨルナカナイ　カナカナカナ
ヒルナカナイ　カナカナカナ
ヨアケナク　カナカナカナ
ヒグレナク　カナカナカナカナ」

と声をそろえてうたった。

西の空の赤いいろが東の空まで広がって、森のみどりがすこしずついろをなくしていった。コケのはえた年老《お》いたシナの木の根《ね》もとや、シダのしげみの中から、夜がそっと顔をのぞかせていた。

谷の下のサワグルミの木から、ガケの上のホオの木へ、山のおねのブナの木から、山ひとつむこうのヒノキの林へと、ヒグラシたちは鳴きあいながら、風といっしょにわたっていった。

ヒグラシたちが遠くへ行ってしずかになると、山道のわきで、ガサッとおち葉《ば》の鳴る音がした。はっとして身《み》がまえると、また、あの声がきこえた。

「ヒグラシは、ひぐれの虫。
ヒグラシは、よあけの虫。
ヒグラシは、ひると夜のあいだの虫」

うすぐらい葉かげから、つぶやくようなひくい声だけがきこえてきた。

「ひぐれどきは、はぐれどき。
ひぐれどきに、気をつけろ。
ひぐれどきに、気をつけろ」
ガサッ、ガサッと、ヒキガエルがおち葉をふむ音が
だんだん小さくなって、やがてきこえなくなった。
まだそのあたりをうろついていたゆうがたの風が、
とつぜん木の葉《は》をゆらして、あわててヒグラシたちを
おいかけて飛《と》んでいった。

4　おどるあいつ

空いっぱいに広がったゆうやけが、森の中までむらさきいろにそめていった。森の木たちは、こい青むらさきのかたまりになって、夜の底《そこ》にすこしずつしずんでいこうとしていた。ひるがおわり、夜がはじまる、ひると夜のあいだの時間。

「ひぐれどきに気をつけろと、ヒキガエルはいったけれど、いったいなにに気をつけろといったんだろう」

　わしがつぶやくと、

「ひぐれどきは、はぐれどきといった」

テントが頭の上でいった。わしが考えていると、

「このむらさきいろが、なんだかあやしい。もう、ねてしまう」

テントはそういって、さっさとリュックのポケットの中にもぐってしまった。

　山道が左にゆるやかにまがったあたりに、年老《お》いたブナの木が根《ね》こそぎたおれて、草の中によこたわっていた。どれほど長い時間を生きてきたのだろう。その

長い一生をおえたのは、いつのことなのだろう。ずっと土の中でふんばってこの木をささえてきた太い根っこは、地面《じめん》からとびだし、まるで大きな生きものの手のように、空にむかってせいいっぱいゆびを広げていた。こぶだらけのみきにはコケがはえ、もう、小さなブナが芽《め》をだしていた。

たおれたブナの木のてっぺんのあたりで、なにか動《うご》くものがいるのに気がついた。キツネかタヌキかアナグマか。なにか大きな動物《どうぶつ》のようだ。

わしは、根《ね》っこづたいに、たおれたブナのみきの上にのぼった。みきのゴツゴツしたみぞにかくれながら、そっと動物に近づいた。動物は、こさをました青むらさきのくらがりの中で、ぼんやりとした黒いかげになって動いていた。

「テント、まだおきてるか」

わしがささやくと、

「おきてる、ぼく、まだ」

テントも背中《せなか》でささやいた。

「見てみろ、あそこに、なにかいる」

わしは体を半分ひねって、動物の方へリュックをむけた。

「どこ、どこ?」

「あそこ、あそこ」

「あそこ、どこ?」

「ほら、あそこ」

わしがゆびをさすと、テントはわしの肩《かた》にのぼってきた。

「あれは、なにものだ」

わしがささやくと、

「なにものだ、あれは」

テントもささやいた。

そのとき、動物のかげが、ピョンととびあがり、くらがりの中でカロリンという音がした。

「あっ、あいつの音」

わしとテントはどうじにつぶやいて、顔を見あわせた。

カロン　カロリン
カロン　カロン　カロリン
あいつは、しきりにとびはねている。そのたびに、あいつの首のすずが鳴る。

「あいつ、いったい、なにしてるんだ」

「なにしてる、いったい、あいつ」

あいつは、とびはねるのをやめ、かがみこんだ。なにかをねらっているらしい。

右手でおち葉《ば》をはらうと、また、ピョンととびあがった。

カロン　カロン
カロリン　カロリン
しきりにとびはねている。

「あいつ、おどっている」

わしがささやくと、

「おどっている？　あいつ」

テントがささやいた。

わしは、ブナのみきの上を歩いて、あいつにもっと近づいた。見おろすと、すぐそこにあいつの背中《せなか》があった。わしたちは、ブナのこぶのくぼみの中に入りこんで、首だけだしてあいつのようすを見た。

「あいつ、ミミズとおどっている」

わしは思わず小声でいった。

あいつの前に、大きなミミズがいた。

ミミズがはねると、あいつがはねる、あいつがはねると、ミミズがはねた。あいつがはねるたびにすずが鳴った。

カロン　カロリン
カロリン　カロン
「ククク」

テントがわらった。つられてわしも、

「クフッ」

とわらった。すると、

「おどってるんじゃない、あいつ。おどってるんじゃない、ミミズ」

テントがささやいた。

ミミズがはねると、また、あいつがピョンとはねた。すずが、カロリンと鳴った。

「ミミズがこわいんだ、あいつ。あいつがこわいんだ、ミミズ」

また、テントがささやいた。

テントにいわれてよく見ていると、なるほど、あいつとミミズはおどっているのではないかもしれない。あいつがミミズに手をだすと、ミミズはピョンととびはねる。するとあいつも、おどろいたようにピョンととびはねた。

　そのうちあいつは、ちょっとうしろにさがって、しりをモコモコ動《うご》かすと、ピョーンとミミズにとびついた。それから、体をくねらせてはねまわるミミズを、とうとう両手《りょうて》でおさえつけた。そっと鼻《はな》を近づけてにおいをかいでいる。ネコという動物《どうぶつ》も、わしたちトガリネズミみたいにミミズを食べるのだろうか。

　あいつは、ちょっと首をかしげて、またミミズのにおいをかいだ。それから、ミミズの頭をまえばでかんで、思いきったようにパクッとのみこんだ。

あいつは、ちょっと口をあけてしたなめずりをすると、首だけ動かしてこっちを見あげた。わしとテントは、あわてて首をひっこめた。
しばらくあいだをおいてそっとのぞくと、あいつの金いろの目玉は、まだじっとこっちを見ている。わしたちに気がついたのかもしれない。わしはそっとブナのこぶからでて、足音をたてないように、たおれたブナの木の上を走った。テントは、あわててリュックのポケットの中にもぐりこんだ。
根《ね》っこのところまでもどってふりかえったが、あいつがおってくるようすはなかった。わしは、根っこづたいに山道におりた。
カロン　カロリン
カロリン　カロン
また、あいつの音がきこえたが、わしとテントは、もうあいつのことはそのままにして、山道をのぼっていった。

5

わしのにおい　テントのにおい

いつのまにか、森の中からむらさきいろはきえて、あたりにこいヤミがただよいはじめた。ゆうひは、もう山のむこうにしずんだのだろう。森のてんじょうを見あげると、木のてっぺんに、ゆうひのオレンジいろが、かすかにのこっていた。

キョッ　キョッ　キョッ　キョッ

近くの木の上で、ヨタカがけたたましく鳴いた。

ヤミの中で、ヨタカのすがたは見えない。

「ヨタカ、おきたか」

リュックのポケットでテントがいった。

「あれ、テントねてたんじゃないのか」

わしがうしろをふりむくと、

「ヨタカ、おこした」

テントがねむそうにいった。

キョッ　キョッ　キョッ　キョッ

ヨタカが飛《と》びながら鳴いた。

「ヨタカ、どこだろう」

わしは、立ちどまって、ヤミの中に目をこらした。

「ヨタカ、見えたか」

テントがいった。

キョッ　キョッ　キョッ　キョッ
ヨタカがまた鳴いた。見ると、ヨタカの声がした東の空が、木のえだごしに明るくかがやいていた。

「空が光っている！」

わしが、おどろいてさけぶと、

「どこ、光ってる、空？」

背中《せなか》でテントがいった。わしは背中のリュックを東の空にむけてやった。

「あっ、光ってる」

テントは、リュックのポケットからでて、わしの肩《かた》にのぼってきた。

「光ってるのは、空？ヨタカ？なに？」

テントがいった。なにが光っているのだろう。近くを見まわすと、たおれかかるように、ななめにはえているミズナラの若木《わかぎ》があった。これなら、わしでものぼれそうだ。

とちゅうまでのぼったとき、ふいにテントがさけんだ。

「月！」

わしは、ミズナラのみきの上に立って、東の空を見た。木の葉《は》のあいだにまぶしくかがやいていたのは、大きな金いろの月だった。黒いかげになった木の葉が、のぼってきた月をいっそう明るく見せていた。

「月、おおきいね！」

「おおきい、月！」

わしとテントは、すっかり月に見とれていた。月はまんまるではなかったけれど、もうすぐまん月にちがいなかった。

テントが肩《かた》の上でねむそうに大きなあくびをした。すると、近くで鳴いていたコオロギが、きゅうに鳴くのをやめた。わしは、なにかのけはいを感《かん》じ、身《み》が

まえた。

　わしたちの立っているミズナラの若木《わかぎ》の根《ね》もとで、金いろの目が二つ光っていた。月に気をとられているあいだに、わしたちをねらってなにものかが近づいていたのだ。

「なに？なに？」

　テントがねむそうな声で、わしの耳もとでささやいた。

　ネコという名のあいつが、いつのまにか先まわりしていたのだろうか。金いろの目は、じっとわしたちを見あげている。わしはうしろむきのまま、ゆっくりと、ななめになったミズナラのみきをのぼった。

「あの目、あいつ？」

　わしがささやくと、

「あいつ、あの目？」

　テントがますますねむそうにつぶやいた。

　わしがあとずさりしていくのを見て、金いろの目は、

わしたちのま下に近づいてきた。すると、木の葉《は》のあいだから、月の光がさしこんできて、ヤミの中にそのすがたをうかびあがらせた。金いろの目の上に、三角の耳の白いりりんかくが見えた。キツネだ。

もし、キツネがそこでとびあがったら、わしの体に手がとどくだろう。わしはあとずさりをやめ、キツネに背《せ》をむけると、夢《む》中《ちゅう》でミズナラのみきの上をかけだした。

そのとき、ミズナラの木が大きくゆれた。わしの体は、空中にほうりだされた。わしは、ミズナラの葉《は》のあいだをすりぬけ、ササの葉の上をすべって、地面《じめん》のおち葉《ば》の中にころがりおちた。キツネがわしをねらってミズナラの木にとびついたらしい。

キツネがこっちへかけよってくるのがわかった。わしはあわてて、おち葉の下へもぐりこんだ。肩《かた》につかまっていたテントが、いつのまにかいなくなっていた。

頭の上で、クスッ、クスッと、キツネが鼻《はな》を鳴らす音がきこえた。においをかいでいるらしい。

ガサッと音がして、わしをかくしていたおち葉が、らんぼうにとりはらわれた。

わしは夢中《むちゅう》でかけだした。おち葉とおち葉のあいだのすきまをぬって走った。すぐうしろから、キツネがおいかけてくるのがわかった。

キツネの手が、わしの目の前のおち葉をおしつぶした。わしは思いきり、まよこにとんだ。立ちあがってかけだすと、またすぐに、キツネの手がわしの行く手をふさいだ。わしはもう一度《いちど》、思いきりまよこにとびはねた。

だが、こんどはうんわるく、わしの体は、まるいトチの実《み》の上におりた。わしは足をすべらせ、トチの実といっしょに地面《じめん》の上をころがった。

　ふらふらしながらも立ちあがり、かけだそうとしたが、わしの体は動《うご》かない。ピリッとシッポにいたみが走った。なにかにはさまれたようだ。ふりむいたとたん、キツネの息《いき》が、わしの鼻《はな》にかかった。キツネのにおいがした。つめを立てたキツネの手が、わしのシッポをしっかりとおさえつけていた。もうだめだ。わしは目をつぶった。

クスッ、クスッ、キツネは鼻を鳴らすと、

「なんだ、トガリネズミか」

といった。わしはおそるおそる目をあけた。キツネは、金いろにかがやく大きな目で、わしを見おろしていた。

「フッ、そんなにこわがることねえよ。オレッチは、オメエラなんか食わねえから」

キツネは、口のはじでわらって、シッポをおさえつけていた手をはなした。わしは、体に入っていた力がスーッとぬけたような気がして、そのばにしゃがみこんだ。

「フッ、前に一度《いちど》、オメエラのなかまを食おうとしたことがある。オレッチもまだ若《わか》くて、世《よ》の中しらなかったぜ。トガリネズミはくせえ、ってことをよ。フッ、ひと口かんではきだしたぜ。くせえ、くせえ、食えたもんじゃねえ。フッ、二度とあんな思いはしたくねえよ。なかまのキツネには、トガリネズミはくせぇーぞ

って、オレッチから、よーくいってあるから、しんぺえねえよ。オレッチ、これで、けっこうしんせつなんだぜ、フッ」

キツネは、それだけかってにしゃべると、

「クスッ、くせえくせえ。クスッ、くせえくせえ」

といいながら、山道をおりて行ってしまった。わしは、ほっとして、おち葉《ば》の上にすわりこんだまま、大きく息《いき》をはいた。

気もちがおちついてくると、わしは、だんだんはらがたってきた。キツネに食べられなくてよかったが、なにもあんなに、わしたちトガリネズミを「くせえくせえ」といわなくたっていいじゃないか。わしたちからすれば、キツネだってキツネのくさいにおいがする。

ところでテントはどこへ行ったのだろう。さっき、わしが空中にほうりだされたとき、テントもどこかへとばされたのだろう。

わしは、立ちあがると、あたりを見まわした。近くにテントのすがたは見えない。地面《じめん》を明るくてらすほど、月はまだ高くのぼってはいなかった。

「テント、テント」

わしは、小声でよんで、おち葉とおち葉のあいだをさがしまわったがへんじがない。

テントは、夜は飛《と》ばないといっていたから、そんな遠くへ行ってしまうはずはない。

「テント、テント」

わしはよびながら、鼻先《はなさき》を動《うご》かしてテントのにおいをかいだ。おち葉の下や、根《ね》っこのすきまや、小石のあいだのにおいをかいだ。ササの根もとや、コケの上や、地面におちたかれえだの下のにおいもかいだ。だが、テントはいない。

ミズナラの若木《わかぎ》の下に、トチの実《み》が一つおちていた。さっき、わしといっしょにころがったトチの実だろうか。においをかぐと、かすかにテントのにおいがする。もう一度《いちど》、ていねいににおいをかいでみた。やっぱ

りテントのにおいがする。

　すると、

「トガリィ、トガリィ」

　トチの実《み》が、小さな声でわしをよんだ。なんだか、ねむそうな声だ。

「え!?」

　とへんじをしてみたけれど、トチの実がわしをよぶなんてへんだ。どこかに口でもあるのかと、トチの実を見まわしたが、それらしいものもない。

「トガリィ、トガリィ」

　また、トチの実がわしをよんだ。

「………」

　トチの実には口も目もないから、どこを見てへんじをすればいいのかわからない。わしはだまったままトチの実をじっと見つめた。

　すると、また声がした。

「トガリィ、ここ、テント」

そのねむそうな声は、テントの声にそっくりだ。トチの実がテントの声でわしをよんでいる？いや、そうではないぞ。トチの実の中で、テントがわしをよんでいる。そうだ、そうにちがいない。

だが、テントはどうやってトチの実の中に入ったんだ。

「テント、テント」

わしは、トチの実に顔をつけて、小声でよんでみた。

「トガリィ、トガリィ、ここ」

やっぱりテントの声だ。声は、トチの実の下の方からきこえてくる。

わしは地面《じめん》に手をついてしゃがみこむと、トチの実の下のにおいをかいだ。はっきりとテントのにおいがした。たいへんだ。テントはトチの実の下じきになっているのかもしれない。

「テント、だいじょうぶか、しっかりしろ」

わしは、地面にむかってさけぶと、トチの実を力い

っぱいおした。トチの実《み》がすこし動《うご》いた。わしは、鼻《はな》をトチの実の下にさしこみ、手と頭でぐいぐいとおした。

トチの実がゴロンところがった。

トチの実がころがったあとに、あながあいていた。

「ここ、ここ」

テントの声があなの中からきこえてきた。わしの体がちょうど入るくらいの大きさだった。わしは、あなの中にもぐりこんだ。

「トガリィ！」

テントが、わしの鼻先にとびついてきた。

「テント！」

わしは鼻の上のテントを、両手《りょうて》でだきしめた。

「よかったテント。だけど、どうしてこんなところに入ったんだい」

「トガリィの肩《かた》からおちて、あなの中にころがった。そしたら、こんどは、トチの実がころがってきて、あなをふさいだ」

　くらくて、テントの顔はよく見えないが、手ぶり身《み》ぶりで話すテントのようすが、テントの小さな足からつたわってきた。

「このあな、だれのあなだろう。だれかのにおいがする」

　わしがそういったとき、カサッと、かすかにおち葉《ば》の鳴る音がした。また、だれかが、そばにやってきたらしい。

6

わしのさいのう　テントのさいのう

わしは、あなの中で体を入れかえて、そっとそとをのぞいた。月の光は、地面《じめん》にまではとどいていなかったけれど、森はずいぶん明るくなっていた。

あなの近くのおち葉《ば》のかげから、だれかがこちらのようすをうかがっているのが見えた。キツネではなく、もっとずっと小さな動物《どうぶつ》だ。

「だれ？」

わしが小声でいうと、

「さっきは、ありがと」

だれかが、くらがりの中でいった。

「だれ？」

テントがねむそうにいって、鼻《はな》から頭の上へよたよたと歩いて、背中《せなか》のリュックへおりていった。

「あたし、あなたのおかげでたすかったの」

そう言って、小走《こばし》りにかけよってきたのはヒメネズミの女の子だった。

「ぼ、ぼくが、たすけた？」

「うん、そうなの。さっきのキツネ、あたしをねらってたの。あたし、あっちの木の上にかけのぼったわ。そしたら、ひくいえだの上にあんたがいたものだから、キツネ、あんたの方に行っちゃった。あたしはにげたけど、あんた、よくたすかったわね。どうして、あの、しつこいキツネが、あんたをあきらめたの？」

ヒメネズミが、むねの前で両手《りょうて》をくんで、ふしぎそうにいった。

「キツネのやつ、ぼくのこと、くさいというんだ。『くせえ、くせえ。食えたもんじゃねぇ』そういって、どこかへいってしまったよ。たすかったのはよかったけど、そんなにくさいといわれると、はらがたつよ。ぼくって、そんなにくさいかい」

わしは、あなから体を半分だした。

「べつに、あたしはそんなにくさいと思わないけど」

ヒメネズミは、そういって、首をちょっとよこにまげて、

「それに、だれにだってにおいはあるでしょ。キツネにはキツネのにおい、ヒメネズミにはヒメネズミのにおい」

といった。すると、リュックの上でテントがねむそうな声で、

「トガリィにはトガリィのにおい」

とつぶやいた。

「そうよ、あんたにあんたの顔があるように、あんたのにおいがあるのよ」

ヒメネズミが、むねの前で両手《りょうて》をしきりに動《うご》かしていった。たしかにそうだ。さっき、トチの実《み》のにおいをかいだとき、テントのにおいだとすぐわかった。テントウムシにはテントウムシのにおいがあり、テントにはテントのにおいがあるのだ。

「だけど、キツネはぼくのことを、ひと口かんではきだすほどくさいっていってた」

わしがまだ考えこんでいると、

「ぼくだって、いざというとき、くさいしるをだす」

テントがまたねむそうな声でいった。

「そうよ、そうよ。くさいにおいが、じぶんをまもるんだわ。あんたがくさいから、キツネはあんたを食べなかった。あんたのにおいが、あんたをまもったのよ」

ヒメネズミはあなの入口にしゃがみこんで、わしの顔をのぞきこんだ。わしは、あなから体をだして、あなのふちにこしをかけた。

「くさいのも、さいのう、くさいのう」

テントがますますねむそうな声でいった。

「フフフフフ、そうよ、そうよ。さいのう、さいのうよ。フフフフフ……」

ヒメネズミは、ほそいヒゲをふるわせて、おかしそうにわらった。

そうなんだ。

「くさいのう」といわれるのも、さいのう。あのおしゃべりギツネが、くさいくさいといいふらしてくれれ

ば、このあたりのキツネにおそわれることはないだろう。世《よ》の中をしらない若《わか》いキツネや、はらぺこのキツネにさえ気をつけていればな。わしは、ヒメネズミやテントのおかげで、気分がすっきりしてきた。

「そう考えれば、どんなことだってさいのうだね。きみには、どんなさいのうがある?」

わしはヒメネズミの顔を見た。目の中で、月の光がキラキラとかがやいていた。

「そうねぇ……」

ヒメネズミは、しばらく考えて、

「さいのうっていえるほどのことはないけど……。そうそう、アカネズミより、木のぼりがじょうずよ」

といった。

「ふーん、それも、さいのうだよ。ぼくなんか木のぼりへただから、木のぼりがうまいなんて、すごいと思うよ」

わしがいうと、ヒメネズミはうれしそうに、むねの前で両手《りょうて》をにぎった。

「それからね、あたしってチビだから、ほそいえだの先になっている木の実《み》だって、とることができるよ」

「そうか。それもさいのうだ。それは、きみとぼくとテントのさいのう、ちいさいのうだ。ウフフ」

わしがわらうと、

「フフフフ……」

ヒメネズミも、また、ほそいヒゲをふるわせて、おかしそうにわらった。月の光があたって、ヒゲが銀《ぎん》いろにかがやいた。

「さあ、そろそろ行かなくちゃ。テントでかけよう」

わしがうしろをふりむくと、リュックの上にテントのすがたが見えない。

「テント、テント」

よんでもへんじがない。リュックのポケットに入ってねてしまったのだろうか。

「どれ、見てあげる」

ヒメネズミが、リュックのポケットをのぞきこんだ。

「いないわ」

「え、いない!?」

わしは、あわてて、あなのまわりを見まわした。すると、

「いるいる、この中よ」

ヒメネズミが、あなの中をのぞきこんでいった。

「まってて」

ヒメネズミはあなの中にもぐりこむと、そっとテントをだいて、でてきた。

テントは、ヒメネズミのうでの中で、スースーかすかなねいきをたてていた。

「しょうがないな、とうとうほんとにねてしまった」

わしが背中《せなか》をむけると、ヒメネズミはだまって、リュックのポケットにテントを入れてほほえんだ。

「じゃ」

わしが、手を顔のよこにあげると、

「じゃあね」

ヒメネズミも小声でいって、むねの前で小さく手をふった。

すこし行ってふりかえると、ヒメネズミはまだあなの前に立っていた。わしの顔を見ると、もう一度《いちど》むねの前で手をふって、すばやくあなの中にもぐりこんだ。

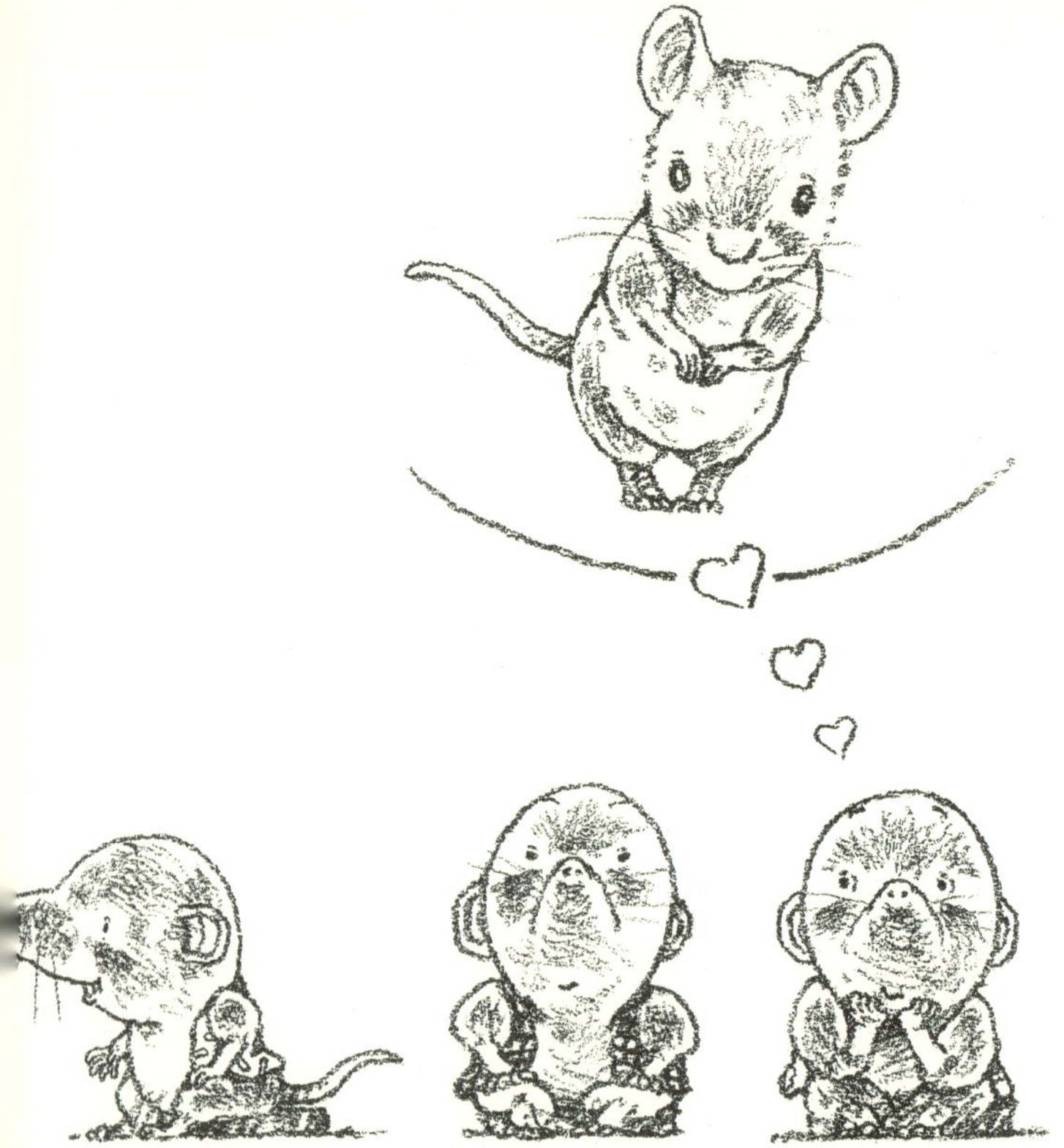

「やさしいヒメネズミね。おじいちゃん、そのヒメネズミのこと、すきになったんじゃない？」

キッキが、両手《りょうて》にあごをのせていった。

「ほんと？すきになった？」

クックが、トガリィじいさんの顔をのぞきこんだ。トガリィじいさんはめがねの上からクックの顔を見て、なにもいわずにほほえんだ。

「くさいのがさいのうなら、なんでもさいのうだな」

セッセがこしに手をやって、むねをはった。

「そのヒメネズミみたいに、やさしいのもさいのうね」

キッキが両手の上でほほえんだ。

「クックのさいのうはなんだ？」

セッセが、こしに手をやったまま、クックを見た。

「ぼくのさいのう……」

クックは、ちょっとこまった顔で体をまるめて考えていると、

「すぐはらがへる、すぐねむくなる」

セッセが、かわりにいった。

「じゃ、セッセは？」

キッキがいうと、

「いつも元気がセッセのさいのう」

とセッセがむねをはった。すると、

「いつもかわいいがクックのさいのう」

クックもまけずにいった。

7　キノコがロン

山道はしばらく、たいらなままつづいていた。月がだいぶ高くのぼってきて、白い光が、くらい森のあちこちに雲のようにうかんでいた。テントはリュックのポケットで、ぐっすりねこんでしまったようだ。

わしは、おなかがすいてきたので、山道をすこしはずれて、ミミズをさがした。イタヤカエデのおち葉《ば》の下で、ミミズが一ぴきねむっていた。わしがつかまえると、ミミズはおどろいてあばれた。わしはかまわず、両手《りょうて》でおさえつけ、食べた。

ミミズを食べおわると、わしもねむくなってきた。わしは、そばにおちていたホウの葉《は》の下にもぐりこんで、リュックをおろした。かわいたおち葉をかさねて、その上にまるくなった。目をつぶると、遠くでフクロウの声がきこえた。

わしは、まもなく、ねむってしまった。

「トガリイ、トガリイ」

テントのよぶ声で、わしは目をさました。

テントはわしの耳にとまっていた。

「トガリィ、そとにだれかいる」

「どこ？　だれ？」

わしが、ねぼけ声でいうと、テントは、地面《じめん》へかけおりて、ホウの葉のすきまから、そとをゆびさした。

そとは月の光がいっぱいさしこんでいて明るかった。

耳をすますと、たしかに、だれかの声がきこえてくる。

それは、小さな流《なが》れの音のような、かすかな声だ。

なにかふしぎな生きものたちがあつまって、おしゃべりをしている、そんなふうにもきこえる。

わしはホウの葉の下からそっとそとをのぞいた。さっき、ねる前には気がつかなかったけれど、そこは、森の小さな広場のようになっていて、そこだけ、まわりよりたくさんの月の光がさしこんでいた。

「キノコだ！」

わしが思わず声をたてると、

「キノコ！」

テントも、おどろいたようにささやいた。

おち葉《ば》の中から、いくつもの白いキノコたちが顔をだして、月の光をあびていた。

おどろいたことに、おしゃべりをしていたのは、その白いキノコたちだった。

白いキノコたちは、まるく輪《わ》になって、なにやらしきりにそうだんをしているらしい。だが、たくさんのキノコたちがいっぺんにしゃべるものだから、いったいなにをいっているのか、さっぱりわからない。

キノコたちのおしゃべりが、いっそうにぎやかになってきた。体をゆらしたり、カサをそらせたりして、しゃべっているキノコもいる。

タロン、ケロン、ガロン、クロン。

よく耳をすましていると、そんなふうにきこえるが、いみはまるでわからない。

「キノコたち、なんていってるかわかるかい」

わしがホウの葉《は》の下から、顔だけそとにだすと、テントはわしの頭の上にのぼってきた。

「ゴロス　ケロン
ドコイ　タロン」

テントがつぶやいた。

「ゴロス　ケロン？

ドコイ　タロン？」

なるほど、そう思えばそんなふうにもきこえる。

すると、中でも一番大きなキノコが、とつぜん、ぴよこーんととびあがった。大きなキノコは、輪《わ》のまん中にでてくると、おかしな声でいった。

「ソロソロ、イクロン。ミンナデ、イクロン」

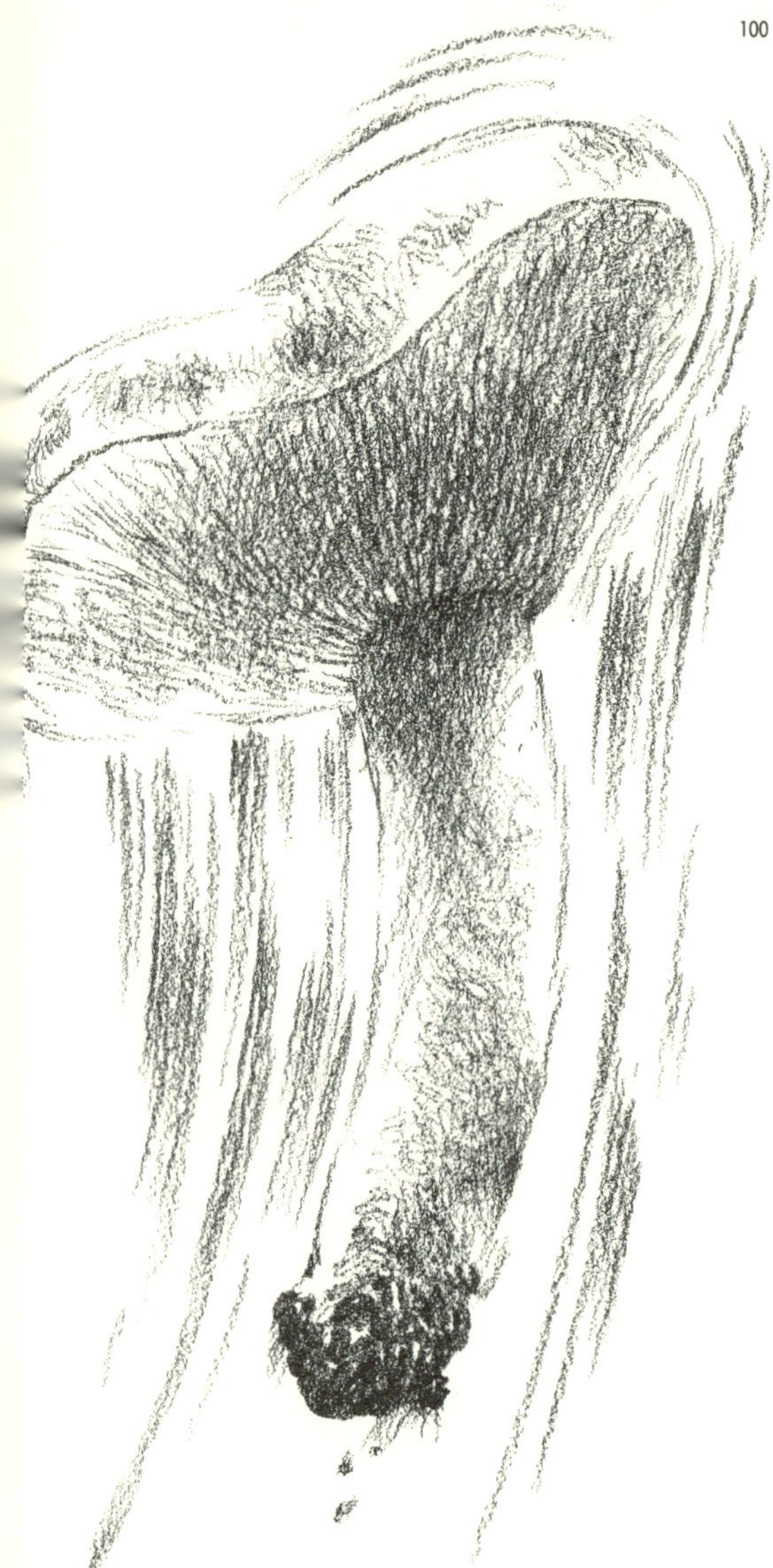

口になにかを、いっぱいほおばったような、ききとりにくい声だが、たしかにそういった。すると、輪の中の、背《せ》のひくいキノコが、

「ゴロス　ケロン、ミツカル　カロン」

といった。ほかのキノコたちも、

「ゴロス　ケロン、ミツカル　カロン」

と、口ぐちにさわぎたてた。

「ゴロスケロン、ミツカルカロン」

テントがわしの鼻《はな》の上へおりてきていった。

輪の中の大きなキノコは、こしを前にかがめて、ちょっと考えてから、

「フクロガロン、ゴロスケロン、ミツケルロン」

といった。ほかのキノコたちは、顔を見あわせて、

「フクロガロン、ゴロスケロン、ミツケルロン」

とささやきあった。

「サアサア、イクロン。ソロソロ、イクロン」

大きなキノコが、ぴょっこん、ぴょっこんはねて、

輪《わ》の中にもどると、

「ソロソロ、イクロン。ミンナデ、イクロン」

ほかのキノコたちも口ぐちにいって、おち葉《ば》の中からぴょこーん、ぴょこーん、ととびだした。キノコたちの輪が、まわりはじめた。

みんなが地面《じめん》からとびだすのをまって、大きいキノコが、とくべつ大きくはねて、

「サアサア、イクロン。ミンナデ、イクロン」

といって歩きだした。中くらいのキノコや小さいキノコ、太いキノコやほそいキノコ、カサをひらいているのやすぼめているのや、年寄《としよ》りのキノコやあかちゃんのキノコ、ふたりづれや三人づれや子どもづれ、みんな、大きなキノコにつづいて歩きはじめた。体をまげてはのばし、ぴょっこん、ぴょっこんはねて、歩いていく。

「おっどろいたロン」

テントが、わしの肩《かた》の上におりてきて、キノコ語を

まねしていった。

「キノコとロン、いっしょにロン、行ってみるかロン」

わしもキノコ語をまねしていうと、

「行ってみるロン」

テントがいった。

わしたちはホウの葉《は》の下からとびだして、キノコの行列《ぎょうれつ》の一番うしろについた。

「ゴロスケロン、ミツケルロン」

「フクロガロン、ミツケルロン」

「ソロソロ、イクロン。ミンナデ、イクロン」

キノコたちは、にぎやかにおしゃべりしながら、おち葉の上をはねて、山道へでた。

ぴょっこん、ぴょっこんはねるたびに、キノコの頭に月明りがあたって、ツルンツルンと光った。キノコたちは、いったいどこへ行くつもりだろう。山道をのぼっていくが、まさか、トガリ山のてっぺんへ行くつもりでもあるまい。

「キノコ、みんなで、どこ行くロン」

わしは、ためしに一番うしろにいた、中くらいのキノコに、キノコ語をまねしてきいてみた。中くらいのキノコは、ちょっとカサをそらして、わしを見た。それから、ころがるような高い声で、

「カエルロン、ミンナデロン」

といった。

「カエル　ロン?」

わしがまたきくと、

「カエルロン、テンヘロン」

と、中くらいのキノコははねながらこたえた。

「テン　エロン?」

わしが首をかしげると、

「テンヲロン、シラヌカロン」

中くらいのキノコも、首をかしげた。

「テン　オロン?」

わしが考えていると、

「テンは天、テントウムシの天、ロン」

テントがいった。

なるほど、――天へロン、かえるロン――だ。

わしはだんだんキノコ語になれていった。

「ところでロン、ゴロスケってだれのことロン」

わしは、また中くらいのキノコにきいた。中くらいのキノコはちょっとおどろいたように、それまでより高くとびあがって、

「ゴロスケロン、シラヌカロン、カミナリゴロスケ、シラヌカロン」

といった。

キノコが、ぴょっこん、ぴょっこんはねながら、ロンロンとしゃべるものだから、わしもついつられて、ぴょっこん、ぴょっこんはねながら、ロンロンとしゃべってしまう。肩《かた》の上のテントも、わしのぴょっこんぴょっこんにあわせて、ロンロンとしゃべった。

「テンへロン、かえるってロン。それじゃロン、キノ

コはロン、テンからロン、きたのかロン」

わしは、すっかりちょうしにのって、大きめのキノコにきいた。大きめのキノコはカサをそらし、顔をわしにむけた。

「テンカラロン、オリタロン。カミナリゴロスケ、イッショニロン」

そういって、大きめのキノコは顔をわしに近づけて、

「カミナリゴロスケ、ドコイッタロン」

と、声をひそめていった。わしがまた首をかしげていると、

「カミナリゴロスケ、ドコイッタロン」

と、中くらいのキノコもわしを見た。

「ドコイッタロン」

大きめのキノコにくっついている、小さなキノコたちが声をそろえていった。

「カミナリゴロスケ、カエッタカロン」

中くらいのキノコのよこにいた、まるい小さめのキノコがいった。すると、そのまたよこにいた、カサのそったキノコや、そのまた前にいた、頭のてっぺんが黒いキノコや、カサにほくろが二つあるキノコたちが、口ぐちにいった。

「カミナリゴロスケ、マイゴカロン」

「カミナリゴロスケ、カクレタカロン」

「カミナリゴロスケ、デテコイロン」

「カミナリゴロスケ、サガソウロン」

そのとき、遠くでフクロウが鳴いた。

ホホォ　ホホォ
ゴロスケ　ホホォ
さわがしいキノコたちが、きゅうにおしゃべりをやめた。

わしは木の上を見まわし、中くらいのキノコのカサの下にかくれた。

「フクロガロン、サガシテルロン。カミナリゴロスケ、サガシテルロン。ドコォ、ドコォ、ゴロスケ　ドコォ」

中くらいのキノコが、声をひそめていった。

8 なめんなナメクジ

山道が、くらい杉《すぎ》の林にはいった。リュックのポケットにもどったテントは、ねむってしまったのか、だまっている。

キノコの行列《ぎょうれつ》が、山道をのぼっていく三びきのナメクジにおいついた。三びきは、三本のヌメヌメした銀《ぎん》いろの線をひきながら、ノロノロ歩いていた。

まん中の一ぴきは大きく、両《りょう》がわの二ひきは小さなナメクジだった。

「オットット、ナメクジロン、ナメンナロン」

「ナメナメ、ナメクジ、ナメンナロン」

「ノロノロ、ナメクジ、ナメンナロン」

キノコたちは、口ぐちにはやしたてながら、三びきのナメクジのよこをすりぬけた。中には、ナメクジの上をとびこえていくキノコもいた。ナメクジは、キノコたちにしらん顔をして、つきだした目玉をまっすぐ前にむけて、

ゆっくりすすんでいく。

わしは、ちょっと立ちどまって、ナメクジに話しかけた。

「こんばんは」

三びきのナメクジは、歩きながら、目だけわしの方にむけた。

「なーんだいー。あたしらにー、なにかようかいー」

まん中の、大きなナメクジが、かすれたような声を、ながくのばしながらゆっくりといった。中くらいのキノコと大きめのキノコも、わしのよこに立ちどまって、あきれるほどゆっくりな、ナメクジのへんじをきいていた。

「ナメクジナンカロン、カマウナロン」

中くらいのキノコが、わしの耳もとでささやいた。

わしは、ぶあいそうなナメクジに、ちょっとおどろいたが、かまわずまた話しかけた。

「小さなナメクジは、お子さんですか」

すると、ナメクジは、左目よりも右目をよけいにのばして、わしを見た。

「おおきなー、おせわだよー。あたしのー子が、どうかー、したかー」

こっちがわにいた小さなナメクジが、しんぱいそうに、大きなナメクジの方へ体をすりよせて、「かあちゃーん」とつぶやいた。

「ナメクジハロン、オマエニロン、クワレルトオモッテロン、コワガッテルロン」

中くらいのキノコが、また、わしの耳もとでささやいた。

とんでもない。わしは、ナメクジを食べようなんて、考えてもいなかった。それまで、カタツムリは食べたことがあったが、ナメクジは、なめたことも

なかった。なんとなく、気がすすまなかったのだ。

わしは、ナメクジにいった。

「ぼくは、あんたのかわいいぼうやのことも、あんたのことも、食べたりはしないよ。いまは、おなかもすいていないし、それに、ぼくがすきなのはミミズやバッタやカタツムリさ」

すると、ナメクジは、

「おまえー、ナメクジはー、きらいだーって、いうんだろー。ふん、カタツムリとー、たいしてー、ちがいやしないんだー。あたしらー、じゃまなー、カラをー、すてただけさー。それにー、いっとくがー、この子たちがー、どうしてー、ぼうやなんだーい。わかったよーなー、ことー、いうんじゃーないよー」

ナメクジは、こんどは、右目よりも左目を長くのばして、ますますふきげんそうにいった。

「ナメクジニロン、オトコモロン、オンナモロン、アルモンカロン、ククククク」

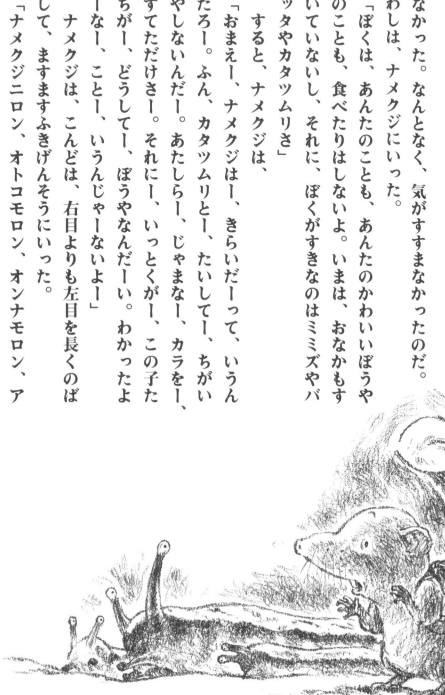

中くらいのキノコが、わしの耳もとで、口をあけてわらった。大きめのキノコも、声はださずに、大きな口をあけてわらった。

ナメクジの歩きかたが、あまりゆっくりなものだから、これだけの話をしているあいだ、わしとキノコは、同じところに立ちどまったままだった。ただ、はじめは右にむけていた顔を、そのうち左にむけなければならなかったけどな。

わしは、二歩だけ前へすすんで、またきいた。

「ところで、これから、どちらへ」

「どこーだってー、いいだろうー。もりのー、ぬしさまのー、ところだよー」

ナメクジは、こんどは、二本の目玉を、まっすぐ前にのばしていった。

「森のぬしさま？」

「そーさ。森のー、ぬしさまだよー。こころもー、からだもー、大きなー、かただー」

「こころも体も大きなかた、森のぬしさま！　それはいったいどんな生きものなの？」

「行ってみりゃー、わかるよー。いちいちー、うるさいねぇー。とてつもなくー、大きなー、かただー」

「それで、森のぬしさまは、どこにいるの？」

「いちいちー、うるさいってー、いっただろー。森のずーっとー、おくだー。みどりぬまのー、さきだーと、イノシシがー、いっていたー」

ナメクジは、ひとさしゆびのかわりに、目玉を森のおくにむけた。

「そこは、まだ、遠い？」

わしがきくと、ナメクジは、

「遠いかどうかー、じぶんでー、行ってみるんだねー。みちのりをー、はかったことがあるっていうー、シャクトリムシのー、話だとー、この杉《すぎ》の森からー、九千八百七十六シャク、あたしらのー、足でー、六日かー、七日かー」

といって、のばしていた目玉を、ゆっくりとちぢめた。

それはたいへんだ。このナメクジにつきあっていたら、いつまでたっても、トガリ山のてっぺんなんかに、行けるわけがない。

「そうだ、キノコの頭にのせてもらえばいいじゃないか」

わしがいうと、それまで、ニヤニヤしながらきいていた、中くらいのキノコは、びっくりして、カサをそりかえした。

「ト、トンデモナイロン、アタマニロン、ナメクジヌロン、ノセタラロン、ナメナメナメナメナメルゾロン。オイラハロン、トロケテロン、キエテロン、シマウゾロン」

中くらいのキノコと、大きめのキノコは、頭をおさえて走りだした。

「ナメクジロン、ナメンナロン」

「ナメクジロン、ナメンナロン」

二本のキノコは、はやしたてながら、なかまの行列《ぎょうれつ》をおいかけていってしまった。

「ふん、なーんだーい。うるさーいキノコたちだー。いつー、あたしがー、おまえたちのあたまにー、のってー、いったんだー。キノコならー、キノコらしくー、やぶの中でー、じーとしてりゃー、いいんだー」

大きなナメクジが、また目玉をのばして、右に左に、ふきげんに動《うご》かした。すると、大きなナメクジのむこうがわにいた、小さなナメクジが、

「とおーちゃーん。もっとおー、ゆっくりー、あるいてよー」

といった。

まいった、まいった。もっとゆっくりだったら、立ちどまっているのとかわらない。

「どうぞ、どうぞ、ごゆっくり」

わしは、ナメクジたちとわかれて、キノコたちのあとをおった。走りながら、ふと、考えた。

とうちゃん？　どうもへんだぞ。

さっき、こっちがわの小さなナメクジは、大きなナメクジを「かあちゃん」とよんだ。それなのにいま、むこうがわの小さなナメクジは、同じナメクジを「とうちゃん」とよんだ。大きなナメクジは、どっちにも「フン」とうなずいていた。これはいったいどういう

ことだ。

さっきキノコが、ナメクジにおとこもおんなもあるもんかといっていた。おとこもおんなもないのなら、とうちゃんもかあちゃんもないはずだ。とうちゃんもかあちゃんもなければ、子どもだっていないはず……。

走りながら考えると、よけい頭がこんがらがってくる。するとまた、どこか遠くでフクロウの声がした。

ホホォ　ホホォ

ゴロスケ　ホホォ

わしは大いそぎで走って、中くらいのキノコにおいつくと、カサの下にもぐりこんだ。

「フクロガロン、サガシテルロン。カミナリゴロスケ、サガシテルロン。ドコォ、ドコォ、ゴロスケ　ドコォ」

中くらいのキノコが、わしの耳もとで息《いき》をはずませながらささやいた。

「こっちがわの子が、『かあちゃん』とよんで、むこうがわの子が『とうちゃん』てよぶなんて、へんだよな」

セッセが首をかしげた。

「へんだよな」

クックも首をかしげた。

「つまり、大きなナメクジは、かあちゃんでもあり、とうちゃんでもある、ってこと……」

キッキがうでぐみをすると、

「かあちゃんになったり、とうちゃんになったり、ってことか……」

セッセもうでぐみをして考えた。

すると、

「まちがえたんだ！」

ククがきゅうに大声でいった。

「なにをまちがえたのさ」

セッセが口をとがらすと、

「つまり、かあちゃんととうちゃんをまちがえた、ってこと」

ククがとくいげにいった。

「そんなわけないだろ。大きなナメクジは、どっちにも『フン』とうなずいたんだぜ」

セッセがククをにらみつけた。

「あのね、こうじゃない。大きなナメクジは、こっちがわの子には、かあちゃん。むこうがわの子には、とうちゃんなの」

キッキが両手《りょうて》をつかってせつめいした。

「やっぱり、かあちゃんになったり、とうちゃんになったりするってこと」

セッセがいうと、

「すこしちがうよ。どうじに、かあちゃんととうちゃんをやってるの」

キッキがそういって、トガリィじいさんを見た。

「ふむ、そうなんだ。つまり、もう一ぴきとうちゃんとかあちゃんのナメクジがいて、そのあいだにうまれたのが、二ひきの子どもというわけなんだ」

トガリィじいさんがいった。

「わかった！つまり、こっちがわの子はその大きなナメクジがうんだ子で、むこうがわの子は、けっこんし

したもう一ぴきのナメクジがうんだ子なんだ。ね、わかったでしょ」

　キッキが、セッセとクックの顔をのぞきこんだ。

「そうか。けっこんすると、二ひきとも子どもをうむんだ。だから、二ひきとも、かあちゃんととうちゃんになる」

　セッセが、うでぐみをしたままうなずいた。

「つまり、やっぱりまちがえちゃう、ってことだ」

　クックも、うでぐみをしたままうなずいた。

9　うたうキノコ　わらうキノコ

わしたちは、杉《すぎ》の森をぬけたところで、キノコの行《ぎょう》列《れつ》においついた。

「ゴロスケロン、ミツケタカロン」

「フクロガロン、ミツケタカロン」

中くらいのキノコと大きめのキノコは、カサをすこしそらして、行列の一番うしろにいた、まるい小さめのキノコと、カサのそったキノコにきいた。

「ゴロスケロン、ミツカラナイロン」

「ゴロスケロン、ネムッタカロン」

小さめのキノコとカサのそったキノコは、あたりを見まわした。

森の木たちは、ねむっているのだろうか、葉《は》っぱ一まい動《うご》かさずじっとしている。

ホホォ　ホホォ

ゴロスケ　ホホォ

また、遠くでフクロウが鳴いた。

「フクロガロン、カミナリゴロスケ、サガシテルロン。

ドコォ、ドコォ、ゴロスケ　ドコォ」

中くらいのキノコが、わしの耳もとでささやいた。

ふと上を見ると、なにか白いものが、月の光の中をふわりふわりふわり飛《と》んでいるのに気がついた。なんだろう。わしはじっと目をこらした。

白いものは、ブナの森の中を、ゆっくりと飛んでいく。ときどき、木のしげみのくらがりの中にすがたをけし、また、ふわっと月の光の中にあらわれた。

白いものは、ゆっくりと、わしたちがいるキノコの行列の上に近づいてきた。よく見ると、それは一つのものではなく、三、四十このものがよりあつまった、かたまりだった。すると、どこからか、かすかなうた声がきこえてきた。月の光のようにすきとおった、うつくしいうた声だ。うた声は、空にうかぶかたまりから、きこえてくるように思える。

「あれはロン、なんだロン」

わしが、声をひそめていうと、

ねむっていると思っていた、背中《せなか》のテントがつぶやいた。

「うたってるロン」

すると、

「ハリタケロン」

中くらいのキノコが、ろくに上も見ずにいった。

ハリタケ。それはキノコの名前らしい。ハリタケたちは、すぐそばに近づいてきた。

ハリタケたちは、行列《ぎょうれつ》のキノコたちみたいに、ペチャクチャロンロンおしゃべりはしないで、すきとおるような声でうたっている。四十こほどのキノコたちのがっしょうだ。みんなそろって小さななみのように動《うご》くと、うた声といっしょに、銀《ぎん》いろのこなが、月の光の中に飛《と》びちった。

「うたってる…、うたってるロン……」

テントが、ねむそうに、小さな声でつぶやいた。ハリタケたちのうた声をきいて、

またねむくなったらしい。

山道の右がわは、ゆるいのぼりになって、ブナの森がつづいている。左がわは、谷になっていて、すこしおりると、沢《さわ》が、音をたてていた。

ハリタケたちは、うたいながらゆっくりと沢の上を飛《と》んだ。沢が左に大きくうねったところに、月の光がいちめんにさしこんでいた。月の光は水の中でこまかくくだけて、キラキラとかがやいて流《なが》れていった。

よく見ていると、動《うご》いているものは、流れていく月の光だけではなかった。なにかが、光る沢のあさせの石の上を、はねているではないか。月にうかれて、魚でもおどっているのだろうか。わしは、立ちどまって、あさせをじっと見つめた。

石の上を、ぴょっこん、ぴょっこんはねてわたってくるものがいる。

それは、またまた、キノコたちだ。白いキノコとはべつのキノコの行列《ぎょうれつ》が、むこう岸《ぎし》から沢をわたって、

こっちの山道にのぼってくるではないか。
一本足をまげてはのばし、ぴょっこん、ぴょっこん
はねながら歩いてくる。

五、六十このキノコの行列《ぎょうれつ》が、沢《さわ》をわたりおわったかと思ったとき、とつぜん、一ぴきの動物《どうぶつ》が、月明りの中にとびだした。バシャ、バシャと水しぶきを立てて流《なが》れの中をとびはねると、カロン、カロリンと、あの音が鳴った。

「あ、あいつ！」

わしは思わず声をだした。それはまちがいなく、ネコという名のあいつだった。あいつは、ときどき二本足で立ちあがり、よたよたしながら、キノコの行列のうしろから、こちらへむかってのぼってくる。わしは白いキノコの行列にもどると、中くらいのキノコのカサの下にもぐりこんだ。

沢をわたったキノコの行列は山道へでると、わしたちの行列のうしろについた。行列はぐっと長くなった。

こんどのキノコたちは、いろはちゃいろ、かたちも白いキノコとはすこしちがっている。それに、このキノコたちは、ペチャクチャおしゃべりもしないし、う

たいもしない。そのかわり、ククク、ケケケとわらいながら歩いてくる。どうも、へんなキノコたちだ。

わらうキノコの行列の、一番前のキノコときたら、はをまるだしにして、ガハハハ、ガハハハとわらっている。そのよこのふとったキノコときたら、おなかをかかえて、ククク、クククとわらっている。そのうしろのカサをそらせたキノコときたら、両手《りょうて》を広げて、ヒヒヒヒ、ヒヒヒヒとわらっている。そのまたうしろのやせたキノコときたら、口をおさえて、ホホホホ、ホホホホとわらっている。

行列の一番うしろのあいつもへんだ。だらしなく口をあけて、キノコたちといっしょに、ゲヘヘ、ゲヘヘとわらっている。さっき見た金いろの目はかがやきをなくし、とろんと目じりをさげている。いったい、なにがあったんだろう。

わしは、あいつに気づかれないようにして、そっと中くらいのキノコのカサの下からでた。

やせたキノコのうしろから、カサをおちょこにしてわらっているキノコがきた。

「なにがロン、そんなにおかしいロン」

わしがきくと、おちょこのキノコは、ほっぺたを赤らめただけで、あとは、オホホホ、オホホホとわらっている。

わしは、おちょこのキノコのうしろのカサをやぶってわらっているキノコにきいた。

「いったい、なにがあったロン」

カサがやぶれたキノコは、やぶれめから、かた目でギロッとわしを見ると、はずかしそうにやぶれめをとじただけで、あとはウフウフ、ウフウフとわらっている。

わしは、カサがやぶれたキノコのよこを歩いていく、足もとを虫に食われたキノコのカサの下に入った。

「いったい、なにがあったロン」

虫に食われたキノコは、よこばらをボリボリとかいただけで、あとは、イヒイヒ、イヒイヒとわらっている。

どうしておかしいんだ。なにがあったんだ。なんだかさっぱりわからない。

　わらうキノコといっしょにいると、わしまですこしへんになってきた。わしは鼻先《はなさき》がむずむずして、わらいたい気分になってきたし、ねむっているはずのテントも、リュックのポケットの中で、ときどき、クク、ククとわらっている。

　わしは、白いキノコたちの行列《ぎょうれつ》にもどった。

「うしろのロン、キノコたちはロン、いったい、どうしたロン」

　中くらいのキノコにきくと、

「ワライダケロン」

　中くらいのキノコはわらいもせず、ぶっきらぼうにこたえた。すると、大きめのキノコがわしのよこにきて声をひそめ、

「ネンガラネンジュウ、ワラウダケロン」

といった。

ホホォ　ホホォ
ゴロスケ　ホホォ
フクロウの声が、さっきより、ずっと近くできこえた。わしは、ちゅういぶかくあたりを見まわして、白い中くらいのキノコのカサの下に入った。
ハリタケたちがわしたちの上をひくく飛《と》んで、声をはりあげると、山道のわきで、カサッとおち葉《ば》が鳴った。見ると、ナラの根《ね》っこをとびこえて、まっかなキノコがころがりだした。

カサのひらいた大きなのが一本、カサのひらいていない中くらいのが一本、まるくて小さいのが三本、みんな白いくつをはいて、うれしそうにニコニコしている。

　まるくて小さい二本のキノコは、赤いほっぺたを、ぴったりとくっつけあっている。もう一本は、カサがひらいていない中くらいのキノコと、なかよく手をつないで、ぴょっこん、ぴょっこんはねてくる。

「あの、まっかなのは、なんだロン」

　わしが、目をまるくしてささやくと、白い中くらいのキノコがいった。

「タマゴダケロン」

　タマゴダケたちは立ちどまって、行《ぎょう》列《れつ》が行きすぎるのをまっている。わしは、白い中くらいのキノコのカサからでて、カサのひらいた大きなタマゴダケのよこにならんで

立ちどまった。

「タマゴダケロン、どこ行くロン」

わしがキノコ語できくと、

「テンへロン、カエルロン」

カサのひらいた大きなタマゴダケがほほえんだ。白いキノコたちと同じことをいう。

わらうキノコの行列が、ククク、ハハハ、ヒヒヒ、へへへ、キキキ、フフフ、ケケケ、ホホホとそうぞうしくとおりすぎると、一番うしろから、グフ、ゲへ、ガハとわらいながら、あいつがやってきた。

わしは、カサのひらいた大きなタマゴダケのうしろにまわって、カサごしにあいつの顔を見あげた。あいつは、わしには目もくれず、

天を見つめ、よだれをたらして、ふらりふらりと歩いていく。よろけるたびに、首のすずがカロン、カロリンと鳴った。

タマゴダケたちはあいつを見あげて、マユをちょっとひそめたけれど、またもとのニコニコ顔にもどって、あいつのシッポのうしろから、ぴょっこん、ぴょっこん歩きはじめた。

わしも、カサのひらいた大きなタマゴダケのうしろからぴょっこん、ぴょっこんついていった。

山道が谷からすこしはなれて、水の音がしずかになった。ハリタケたちのうた声はいっそううつくしく、森の中にしみるように広がり、ワライダケたちのわらい声は、森のおくへこだました。月はますます明るくかがやいて、くらい森の山道にまだらもようをつくっていた。

ふとうしろをふりかえると、いつのまにか、たくさんの小さなキノコたちが、タマゴダケのうしろに行列《ぎょうれつ》

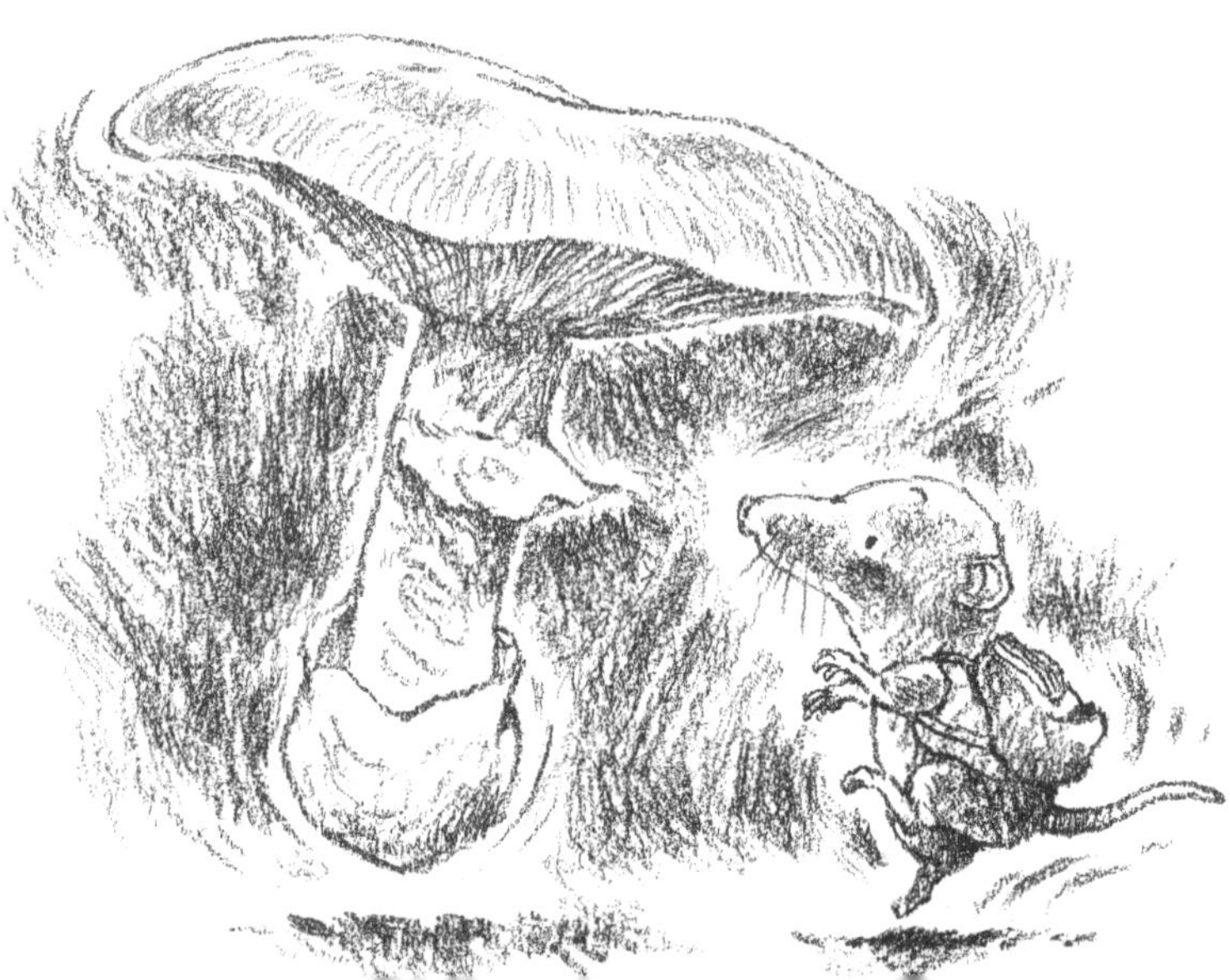

をつくっていた。こげちゃいろの頭をあわただしくふりながら、かさなりあい体をよせあってついてくる。

　前を行くあいつを見ると、両手《りょうて》を広げて、ふらりふらりと歩いていく。うしろをふりかえるようすもないので、わしは、タマゴダケのカサの下をでて、小さいキノコたちの中に入りこんだ。小さなキノコたちは、いっせいに小さなカサをそらして、わしを見あげた。

「みんなでロン、どこ行くロン」

　わしが、まわりの小さなキノコたちにきくと、キノコたちは、小さな口をいっせいにひらいて、

「テンへロン、カエルロン」

と、ささやくようにいった。どうやら、どのキノコたちも、こうしてみんなで行列をつくって、いっしょに天へかえるつもりらしい。

「どうやってロン、天へロン、かえるロン」

　わしがきくと、小さなキノコたちはまたいっせいに口をひらいて、ささやきあった。だが、こんどは、み

んながてんでんばらばらにささやくものだから、いったいなにをいってるのか、さっぱりわからない。すると、前を行く、ほっぺたをくっつけあった小さなまるいタマゴダケが、ふりかえって、ふたりで声をそろえていった。

「カミナリゴロスケ、イッショニロン、カエルロン」

「ゴロスケロン、まいごだロン」

わしがいうと、

「ゴロスケロン、ミツカッタロン」

こんどは、カサのひらいていない中くらいのタマゴダケが、まるい小さなタマゴダケと手をつないだまま、ふりかえっていった。

「フクロガロン、ミツケタロン」

カサのひらいた大きなタマゴダケも、体をまげてふりかえっていった。

ホホォ　ホホォ
ゴロスケ　ホホォ

フクロウの声が、山道の先の方から、木の葉《は》をふるわせながらひびいてきた。木の葉のあいだから、月の光がしずくのようにこぼれおちてきた。

わしは、いそいで大きなタマゴダケのカサの下にとびこんだ。

「フクロガロン、イッテルロン。ココォ、ココォ、ゴロスケ　ココォ」

タマゴダケが、わしの耳もとでささやいた。

10 天にかえるキノコ

しばらくたいらなままつづいていた山道が、ゆるいくだり坂《ざか》になった。この山道が、トガリ山のてっぺんへむかう道かどうか、ちょっとしんぱいになって、あたりを見まわしたが、ほかにわかれ道もないようだ。
うしろの方で、フウー、フウーとへんな音がするので、ふりかえると、まるいキノコが、おち葉《ば》の上をポコポコはずみながら、山道にでてきた。小さなキノコたちは、
「ホッ、ホッ、ホコリタケロン」
とささやきあいながら道をあけた。二十こほどのキノコたちは、ときどき、フウー、フウーと口を空にむけて銀《ぎん》いろのこなを吹《ふ》いた。

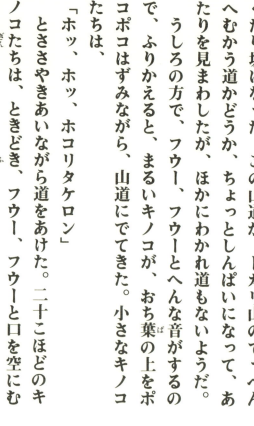

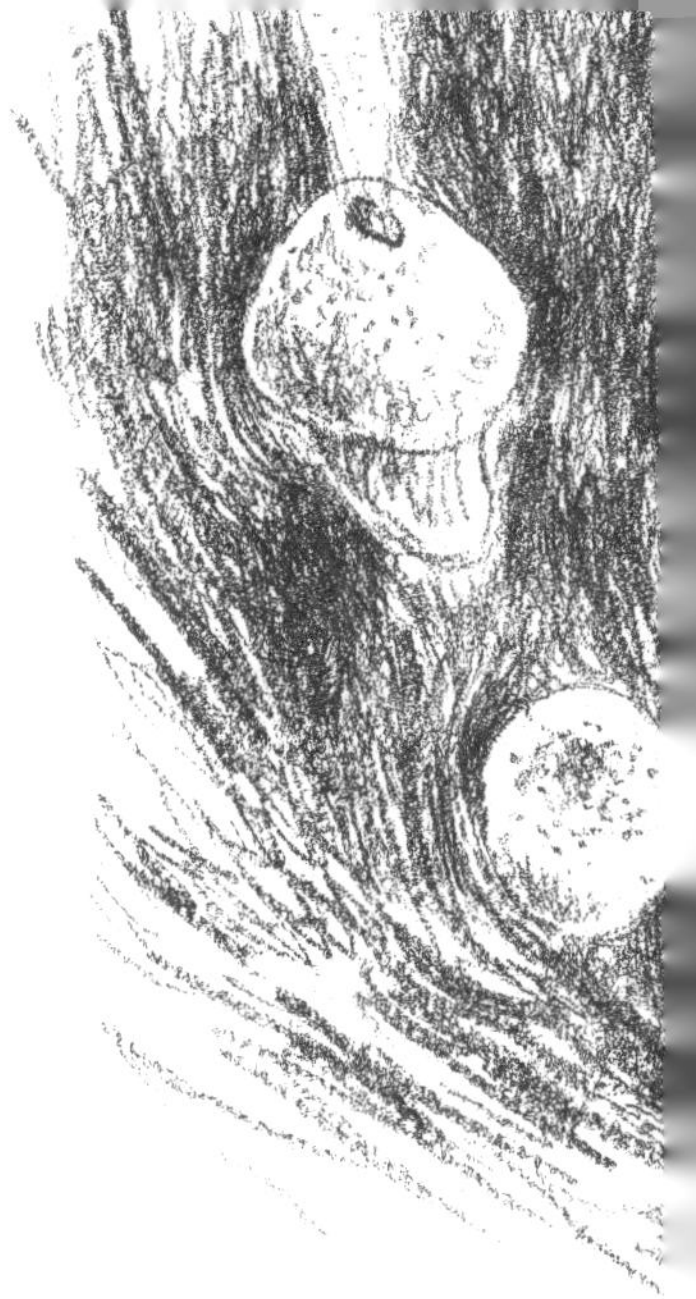

するとこんどは、山道のはんたいがわから、七、八本のまっ黒いキノコがとびだした。小さなキノコたちが、ひめいをあげてとびのくと、まっ黒いキノコたちは、足をそろえて、地面《じめん》をふみ鳴らした。

「マックロ、クロオニ、オニイグチロン」

タマゴダケが、カサをすこしすぼめてささやいた。

オニイグチたちは、よこにならんで、ドッドッと前にすすんでは立ちどまり、ズッドコズッドコ地面をふみならした。

オニイグチたちのおどりに見とれていると、ウヒョーッときみょうな声がして、こんどは大きなキノコが

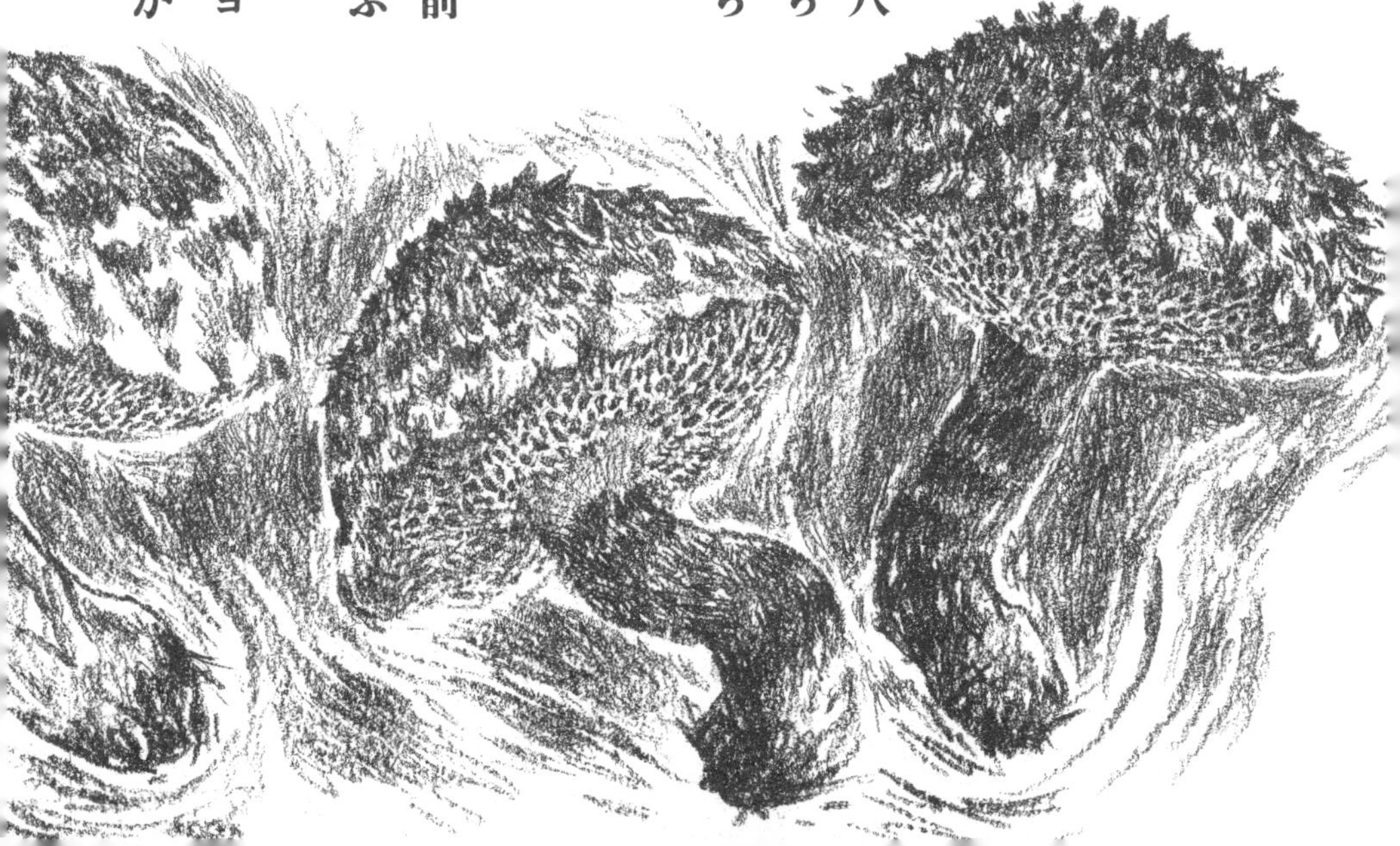

山道にとびだしてきた。見ると、ヌメヌメ光った頭には大きなナメクジが一ぴきのり、体には二ひきの小さなナメクジがしがみついていた。

「ナメナメナメクジ、ノッケテロン、
ヌメヌメヌメリイグチ、ハシッテクロン」

タマゴダケが、カサをすこしそらして、おかしそうにささやいた。

ヌメリイグチは、オニイグチのわきを、大あわてですりぬけて、あいつの足もとをとおり、行《ぎょう》列《れつ》の先頭にでると、そのまま山道をかけていった。

森がきゅうにとぎれて、前が明るくなった。空がまるくあいていた。ふとった月がだいぶ高くのぼってきて、まるい空を明るくしていた。

ホホォ　ホホォ
ゴロスケ　ホホォ

すぐ近くで、またフクロウが鳴いた。わしはタマゴダケのカサの下にもぐりこんだ。

「ゴロスケイルロン、チカクニイルロン」

タマゴダケが、わしの耳もとでささやいた。

「ゴロスケがいる？　どこにロン？」

わしが、ききかえすと、

「フクロガロン、イッタゾロン。ココォ、ココォ、ゴロスケ、ココォ」

タマゴダケは、カサをそらして、木の上を見まわした。

山道は坂《さか》をくだりきると、草地に入った。キノコの行列は、月の光をいっぱいにあびながら、草の中の小道をすすんだ。

ホホォ　ホホォ

ゴロスケ　ホホォ

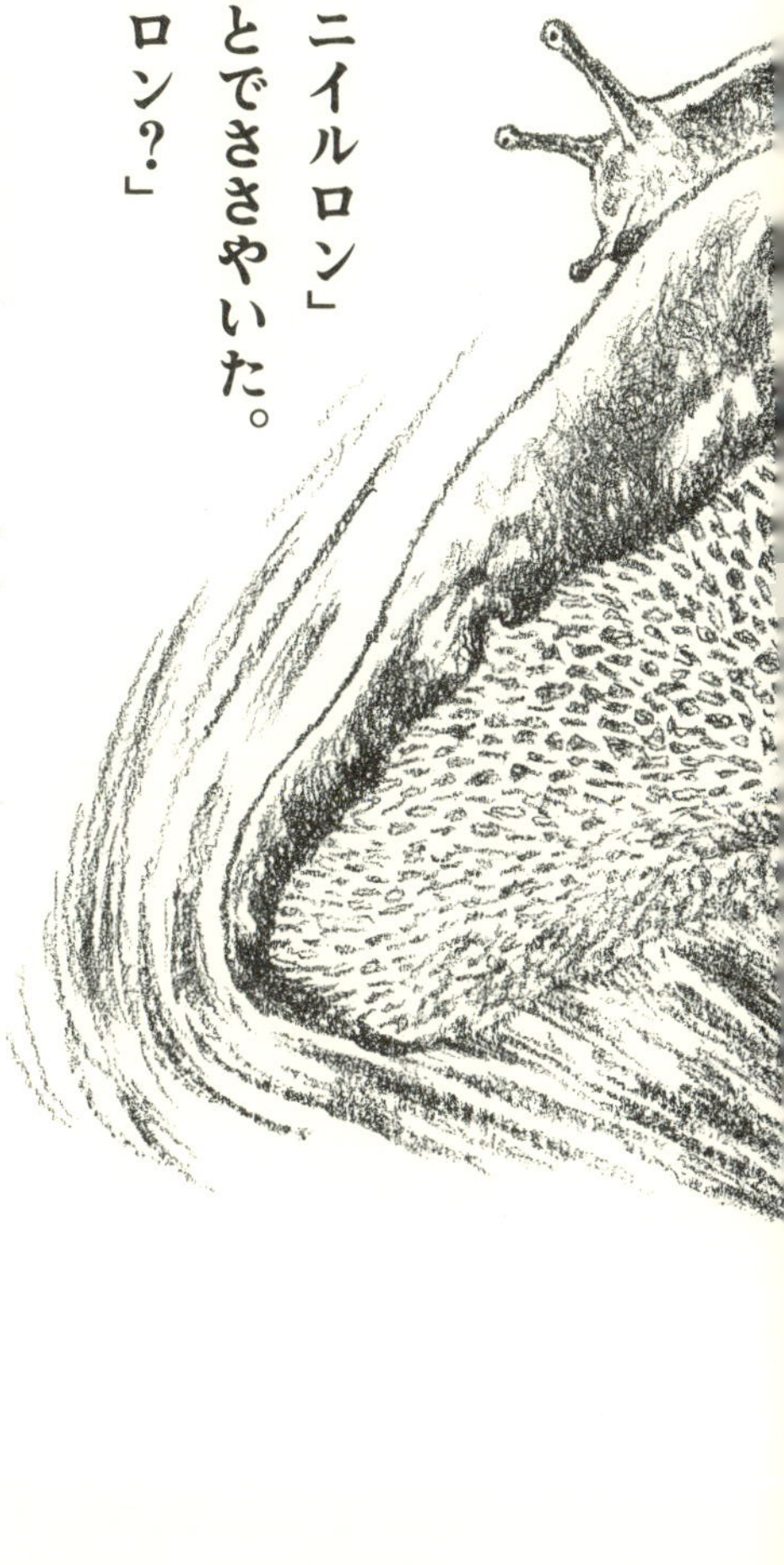

フクロウが、また鳴いた。

その声は、はらにしみこむような、ふしぎな声だった。わしは、タマゴダケのカサの下から、声のする方をのぞいた。

草の中に、月にてらされた大きな岩が、黒ぐろと立っているのが見えた。岩の上にフクロウがとまっていた。フクロウは、もえるような大きな目を見ひらいて、じっとこちらを見つめている。わしはタマゴダケのうしろにまわった。

すると、とつぜんフクロウが、大きな羽《はね》を広げまいあがった。フクロウはひくく飛《と》ぶとわしたちの上におおいかぶさってきた。わしはタマゴダケにしがみついた。フクロウの黒いかげが、月明りをさえぎったとき、

ギャオッ！

とつぜん、さけび声があがり、その声は月夜の草地をつきぬけた。フクロウがあいつにおそいかかったのだ。わしはタマゴダケにしがみついたまま、あいつを

見あげた。あいつは大きく口をあけ、はをむきだし、両《りょう》手《て》をふりあげてフクロウに立ちむかった。カロン、カロリン。はげしくすずが鳴った。さっきまで、とろんとしていた目は、ギラギラとしたかがやきをとりもどしていた。

フクロウは、そのままキノコたちの行列《ぎょうれつ》の上をひくく飛《と》んでからまいあがった。空中でうたっていたハリタケたちが、あわてて左右にとびちった。

あいつは体を立てなおすと、頭をひくくして身《み》がまえた。背中《せなか》の毛の一本一本が、するどいはりのように立ってうごめいていた。わしはタマゴダケにだきついた。タマゴダケは、かまわずあいつのよこを走りぬけた。

ズッドコ　ズッドコ　ズッドコ　ズッドコ
オニイグチの足ぶみが、地鳴《じな》りのようにひびいた。一度《いちど》まいあがったフクロウが、またあいつにむかってひきかえしてくるのが見えた。
ギャオーッ、あいつは立ちあがりさけぶと、身をひるがえして草むらの中にとびこんだ。草むらの中で、カロン、カロリンとすずが鳴り、ザワザワと草がさわぎたてた。だんだん音は遠ざかり、ギャオーッともう一度声がして、やがてしずかになった。
ズッドコ　ズッドコ　ズッドコ　ズッドコ
オニイグチの足ぶみの音が、草地いっぱいに広がった。ハリタケがうた声をはりあげると、ホコリタケがフウー、フウーと銀《ぎん》いろのこなを高く吹《ふ》きあげた。

わしはほっとして、タマゴダケにだきついていた手をはなした。前を見ると、先頭を行く白いキノコたちが、大きな岩にのぼりはじめた。それぞれ、のぼりやすそうなところを見つけては、ぴょんぴょんはねながらのぼっていく。

そのとき、きゅうに月に黒い雲がかかって、あたりはまっくらになった。ついいままで明るかった空は、星一つのこさず、ふかいヤミになった。

ズッドコ　ズッドコ　ズッドコ　ズッドコ

ゴロロロ　ゴロロロ

オニイグチたちの足ぶみにあわせるように、頭の上で雷《かみなり》が鳴った。

「鳴った、カミナリ」

背中《せなか》でテントの声がした。

「カミナリゴロロスケ、キタゾロン」

タマゴダケが耳もとでいった。

「テンヘロン、カエルロン」

タマゴダケがそういって、
ぴょんととびあがったのがわかった。

わしは、体をまるめてしゃがみこみ、
ひげや耳に気もちをあつめた。

「テンヘロン、カエルロン」

とささやきあいながら、わしのまわりからつぎつぎにとびはねていくのは、小さなキノコたちのようだった。

ゴロロロ　ゴロロロ
頭の上でまた雷《かみなり》が鳴った。

わしがそっと顔をあげたとき、タカーッと、空がわれるような音がして、あたりがまっ白になった。とどうじに、ダダダダ——ン、とてつもない音が耳をつんざいた。わしの体はしびれ、なにがなんだかわからなくなった。

「テントォー」

わしは、ぼんやりしたいしきの中で、テントをよんだ。

「トガリィー」

テントの声が、かすかにきこえた。わしは、体が宙《ちゅう》にうかんだような気がした。うっすらと目をあけると、カチッと音がして、いなずまが走った。

たしかに、わしの体は宙にうかんでいた。わしの上にも下にも、たくさんのキノコたちがうかんでいるのが、いなずまにてらしだされた。二度《ど》三度と、いなず

まが走った。キノコたちは、空いっぱいに広がってまるでたくさんの流《なが》れ星のように、青白い光をだし、霧《きり》のようなこなをまきちらしながらのぼっていく。

わしもテントも、キノコたちといっしょに、天へ行くのだろうか。天はどんなところだろうか。わしはぼんやり、そんなことも考えていた。

あたりはしずまり、くらやみがわしをつつんだ。目にいなずまがつきささり、キノコたちが、いつまでもまぶたの中でチカチカ光っていた。


どれほどの時間がすぎたのだろう。

「トガリィ、トガリィ」

テントのよぶ声で気がついた。

目をあけると、鼻《はな》の先にテントがいて、しんぱいそうにわしの顔をのぞきこんでいた。そのむこうに、夜の空が広がり、たくさんの星がまばたいていた。月が目にしみるようにまぶしかった。

「トガリィよかった、気がついた」

テントがうれしそうにいった。わしは体半分おきあがった。わしは草地の中の大きな岩の上にいた。

「ぼく、どうしたんだろう」

わしには、なにがおこったのか、すぐには思いだせなかった。わしはなんども両手《りょうて》でヒゲをこすった。

「カミナリがおちた。あぶなかった」

テントが、わしの肩《かた》におりてきていった。

「そうだ。カミナリゴロスケがきたんだ」

わしは、すこしずつ思いだした。そして、まわりを見まわした。岩のまわりにも、草の中の道にも、もうキノコたちのすがたはなかった。

草地の中にほそい道がつづいていた。道の先の黒い森の上に、トガリ山のかげが夜空にくっきりとそびえていた。

「おじいちゃん、あぶなかったね」

キッキが、トガリィじいさんのそばにきていった。

「カミナリがおちたんだ！」

セッセが、目玉をギョロギョロさせていった。

「カミナリゴロスケの顔、見た？」

クックも、トガリィじいさんのそばにきてしゃがみこんだ。

「カミナリに顔なんかあるわけないだろ」

セッセがクックをよこ目でにらんで、

「おじいちゃん、カミナリにうたれたんだよね。よく死《し》ななかったよな、すげえな」

と、うでぐみをした。

「キノコたちと宙《ちゅう》にうかんでたとき、死にかけてたんじゃないの？」

キッキが、トガリィじいさんのひざにつかまっていった。

「そうだよ、とちゅうでおちてきてたすかったんだ」

セッセもトガリィじいさんのそばにきて、あぐらをかいた。

「じゃ、キノコたちは死んだんだ」

クックがいった。

「ちがうよ、キノコたちは天にかえったんだぜ。キノコたちって天からきたんだよね」

セッセがトガリィじいさんの顔を見あげた。

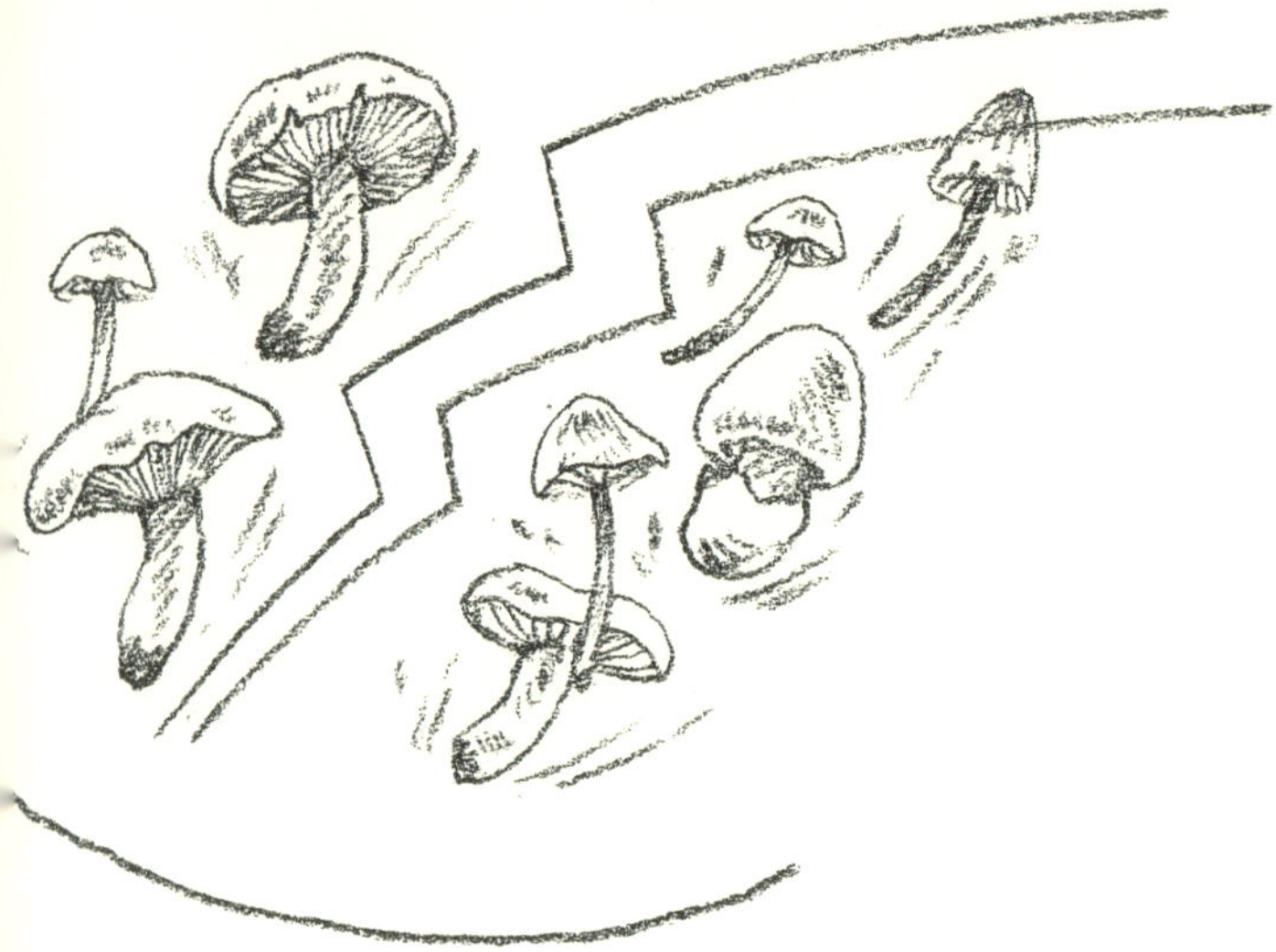

「ふむ。これは、わしのじいさんが若《わか》いときに見たという話なんだが。あるとき、森にはげしいゆうだちがあり、じいさんは木の根《ね》もとで雨やどりをしていた。すると、ダダーンとものすごい音がして、目の前の大《たい》木《ぼく》に雷《かみなり》がおちた。じいさんは頭の中がまっ白になって、気をうしなってしまったらしい。しばらくして目をさますと、じいさんのまわりには、たくさんのキノコたちがいて、なにやらにぎやかにおしゃべりをしていた。見ると、雷にうたれた大木のまわりでも、おおぜいのキノコたちが輪《わ》になっておどっていた。じいさんが話しかけるとキノコたちは、『テ

ンカラロン、キタゾロン。カミナリゴロスケ、イッショニロン』と口ぐちにこたえたそうだ」

「ふーん。おじいちゃんは、キノコが天にかえるところを見たけど、おじいちゃんのおじいちゃんは、天からおりてきたところを見たんだ」

セッセが、かんしんしてトガリィじいさんを見つめた。

「天からやってきて天へかえっていくなんてすてき。天人《てんにん》みたい」

キッキがいうと、

「雨や雪やヒョウだって、天からやってきて天へかえっていく」

セッセがいった。

「天てどんなとこ?」

クックがてんじょうを見あげた。

「天は雲の上、天は空のかなた」

キッキが上を見て立ちあがると、

「トガリ山のてっぺんは天につきささっている。だから、きっとてっぺんに行けばわかるよ」

セッセも立ちあがって上を見た。

すると、クックも立ちあがって、大きなあくびを一つした。

「そうだ、こんやはもうおそい。このつづきはまたあした」

トガリィじいさんも、クックの頭に手をやって立ちあがった。

「そろそろ、かえるロン」

セッセがいうと、

「天へロン、かえるロン」

クックがねむそうに、まぶたを半分とじたまま、ぴょっこん、ぴょっこんはねた。

「おうちへロン、かえろうロン」

三びきはぴょっこん、ぴょっこんキノコみたいにはねながら、トガリィじいさんのへやをでた。

「あっ、お月さん」

そとにでると、キッキとセッセがどうじにさけんだ。森の上に大きな月がのぼっていた。

「もうすぐまん月だ」

トガリィじいさんがいった。月の光があたって、四ひきの顔がホッホッと光った。

いわむら かずお

1939年東京に生まれる。東京藝術大学工芸科卒業。

1975年東京を離れ、家族とともに栃木県益子町に移り住む。

「14ひきのシリーズ」（童心社）や「こりすのシリーズ」（至光社）など多くの作品が、フランス、ドイツ、中国、スイスなど多くの国でもロングセラーとなり、世界のこどもたちに親しまれている。

『14ひきのあさごはん』（童心社）で絵本にっぽん賞、『14ひきのやまいも』で小学館絵画賞、『ひとりぼっちのさいしゅうれっしゃ』（偕成社）でサンケイ児童出版文化賞、『かんがえるカエルくん』（福音館書店）で講談社出版文化賞絵本賞、エリックカールとの合作『どこへ行くの？ To See My Friend!』（童心社）でピアレンツ・チョイス賞（アメリカ）受賞。

1991年日本各地の森や山を歩き取材を重ねた「トガリ山のぼうけん」シリーズがスタート、1998年全8巻完結。

1998年栃木県那珂川町に「いわむらかずお絵本の丘美術館」を設立。絵本・自然・こどもをテーマに活動を続けている。

「ゆうひの丘のなかま」シリーズ（理論社）「ふうとはな」シリーズ（童心社）「カルちゃんエルくん」シリーズ（ひさかたチャイルド）などは、美術館のある「えほんの丘」に暮らす生きものたちを主人公に描いた作品である。

2014年、フランス藝術文化勲章シュヴァリエを受章。
＊本書は1991年～1998年に刊行された「トガリ山のぼうけん」シリーズ（全8巻）の新装版です。

トガリ山のぼうけん③
月夜のキノコ 新装版

2019年10月 初版
2019年10月 第1刷発行
文・絵 いわむらかずお
ブックデザイン 上條喬久
発行者 内田克幸
編集 岸井美恵子
発行所 株式会社理論社
東京都千代田区神田駿河台二-五
電話 営業 03-6264-8890
編集 03-6264-8891
URL https://www.rironsha.com
印刷・製本 中央精版印刷株式会社

ISBN978-4-652-20343-9
NDC913 A5判 22cm 167p

トガリ山のぼうけん（全8巻）

いわむらかずお

第①巻『風の草原』

第②巻『ゆうだちの森』

第③巻『月夜のキノコ』

第④巻『空飛ぶウロロ』

第⑤巻『ウロロのひみつ』

第⑥巻『あいつのすず』

第⑦巻『雲の上の村』

第⑧巻『てっぺんの湖』